O grande livro do Ho'oponopono

Dados Internacionais de Catalogação na Publicação (CIP)
(Câmara Brasileira do Livro, SP, Brasil)

Graciet, Jean
O grande livro do Ho'oponopono : sabedoria havaiana de cura / Jean Graciet, Luc Bodin, Nathalie Lamboy ; tradução de Stephania Matousek. – Petrópolis, RJ : Vozes, 2016.

Título original: Le grand livre de Ho'oponopono : sagesse hawaïenne de guérison
Bibliografia.

11ª reimpressão, 2021.

ISBN 978-85-326-5307-9

1. Autoconhecimento 2. Filosofia de vida 3. Ho'oponopono – Técnica de cura 4. Medicina alternativa – Havaí 5. Vida espiritual. I. Bodin, Luc. II. Lamboy, Nathalie. III. Título.

16-05291 CDD-615.8528

Índices para catálogo sistemático:
1. Poder de cura : Meditação : Terapias alternativas 615.8528

Luc Bodin
Jean Graciet
Nathalie Lamboy

O grande livro do Ho'oponopono

SABEDORIA HAVAIANA DE CURA

Tradução de Stephania Matousek

Chemin du Guillon 20
Case 143
CH-1233 Bernex
http://www.editions-jouvence.com
info@editions-jouvence.com

Tradução realizada a partir do original em francês intitulado *Le grand livre de Ho'oponopono – Sagesse hawaïenne de guérison*

Direitos de publicação em língua portuguesa – Brasil:
2016, Editora Vozes Ltda.
Rua Frei Luís, 100
25689-900 Petrópolis, RJ
www.vozes.com.br
Brasil

Editoração: Gleisse Dias dos Reis Chies
Diagramação: Sandra Bretz
Revisão gráfica: Nilton Braz da Rocha / Nivaldo S. Menezes
Ilustração de miolo: Jean Augagneur
Capa: Rafael Brum

ISBN 978-85-326-5307-9 (Brasil)
ISBN 978-2-88353-780-4 (Suíça)

Editado conforme o novo acordo ortográfico.

Este livro foi composto e impresso pela Editora Vozes Ltda.

Sumário

Prefácio

Quando o meu amigo Luc me pediu para escrever o prefácio deste livro, na mesma noite peguei um livro ao acaso na minha estante e o abri distraidamente. Achei dentro dele uma folha de papel dobrada ao meio, na qual eu havia escrito as seguintes linhas: *"Na minha opinião, deve haver no fundo de tudo isso... uma noção extremamente simples. E, para mim, tal noção, quando finalmente a descobrirmos, será tão irresistível, tão bonita, que pensaremos: 'Oh! Como poderia ser diferente?'"* (John Wheeler, físico, citação tirada de um documentário televisivo intitulado *The Creation of the Universe*[1]).

Um silêncio me sussurrou que essas frases eram um piscar de olhos da vida para me relembrar o essencial.

É assim que as verdades chegam até nós. Sempre simples, elas não se explicam e não precisam de grandes discursos.

Foi assim que o Ho'oponopono entrou na minha vida. Meu coração reconheceu uma coisa que ele já sabia, pois os nossos corações sabem reconhecer as verdades.

---

1 *A criação do Universo* [N.T.].

No entanto, temos uma espécie de véu que nos impede de enxergar e expressar a nossa verdadeira natureza. Para o Ho'oponopono, esse véu é feito de memórias. Para desvendá-lo e dissolvê-lo, só temos uma coisa a fazer: "*limpar, limpar, limpar*".

Com o tempo, entendi que a "limpeza" se dá em três etapas: primeiro é preciso abrir o coração, para, em seguida, acolher com amor a "realidade" e, por fim, desapegar-se dela, deixar de se prender e confiá-la ao "Divino" que existe em nós.

Neste livro, os meus amigos Nathalie Lamboy e Luc Bodin e o meu marido, Jean, dividem com você a experiência deles e a concepção própria que eles têm do Ho'oponopono, dando-lhe assim a oportunidade de se aprofundar na compreensão dessa maneira de estar no mundo.

É pela prática que você integrará e descobrirá a sua, aquela que lhe será própria, a que o seu coração entregará aos seus cuidados.

Abra o seu coração e lembre-se: "*Só se vê bem com o coração, o essencial é invisível aos olhos*" (Antoine de Saint-Exupéry. *O pequeno príncipe*).

Agradeço à vida pela oportunidade que ela me dá hoje de limpar aquele "véu" que me mantém na "ilusão da separação".

Dirijo-me ao "Ser Único" que "Eu Sou", à "Mãe Terra" e a você, leitor, e sei que o meu primeiro erro é crer que estou separada do "Todo" e sou imperfeita. Peço à minha alma ou ao meu "Eu Superior" que me ajudem a limpar todas as memórias que me fazem acreditar nisso.

"Sinto muito, perdão, obrigada, eu te amo."

Maria-Elisa Hurtado-Graciet

Coautora de *Ho'oponopono, le secret des guérisseurs hawaïens*[2]

---

2 *Ho'oponopono, o segredo dos curandeiros havaianos*, ainda sem tradução no Brasil [N.T.].

Ho'oponopono, manual de instruções

A fórmula do Ho'oponopono

"Sinto muito, perdão, obrigado, eu te amo".

O que querem dizer estas palavras?

"Sinto muito": é reconhecer a sua criação.
"Perdão": porque eu não sabia que tinha isso dentro de mim.
"Obrigado": por me permitir limpar essa memória.
"Eu te amo": amo você, minha Divindade Interior – poderíamos dizer: "Eu me amo".

Quando dizer esta fórmula?

Quando você estiver diante de um conflito, uma reação violenta, um acidente, um trauma, tudo o que despertar em você uma emoção forte e negativa.

Como dizê-la?

Em voz alta ou baixa, mentalmente.

A que você está se dirigindo quando diz esta frase?

A si mesmo, à sua Divindade Interior, aos seus protetores, ao Universo, a Deus.

Você pode fazer prevenção com ela?

Você pode dizer a fórmula "Sinto muito, perdão, obrigado, eu te amo" mesmo quando não estiver sentindo nenhum conflito em especial. Isso permite apagar as memórias que surgiram sem você perceber. Certas pessoas recitam a fórmula como um mantra durante uma caminhada, uma corrida ou um passeio de bicicleta.

Você pode dizê-la durante um acontecimento feliz?
Sim, você tem à sua disposição uma ferramenta que lhe permite colocar o seu ego em repouso e viver a alegria plenamente, com toda a humildade.

Você pode fazer Ho'oponopono na frente da televisão?
Você pode fazer Ho'oponopono diante de tudo o que despertar em você emoções negativas: pode ser na frente da internet, no telefone ou escutando rádio.

É preciso dizer todas as palavras da fórmula?
Quando você começar a praticar o Ho'oponopono, tire um tempinho para dizer a fórmula em sua integralidade até ter integrado a sensação de cada palavra. Em seguida: "Obrigado, eu te amo" podem bastar.

O que acontece depois?
A calma chega. Você não alimenta expectativas com relação ao que vai acontecer, pois o Ho'oponopono consiste, antes de tudo, em alcançar a paz interior.

1
Ho'oponopono
Das origens à prática de hoje

Jean Graciet

Entrar no processo do Ho'oponopono é, no fim das contas, relativamente fácil. Se alguma coisa estiver incomodando você – pode ser tanto uma chateaçãozinha do cotidiano quanto um acontecimento muito mais grave –, basta repetir as quatro pequenas frases, que, na verdade, não passam de algumas palavras. Essas frases são: *"Sinto muito"; "Perdão"; "Obrigado"; "Eu te amo"*. E, a partir dessas quatro frases repetidas várias vezes durante um certo tempo, algo acontece, às vezes um milagre pode se produzir. Nada parece ser mais simples, de fato, e esse método parece estar ao alcance de todos. Agora, veremos que o Ho'oponopono na verdade não é tão fácil de integrar e praticar quanto parece à primeira vista.

Definição e histórico do Ho'oponopono

O Ho'oponopono é uma filosofia, um estado de espírito, e aderir a esse processo exige assimilar certas ideias, certas noções bem diferentes das que as nossas tradições judaico-cristãs nos inculcaram. Com o Ho'oponopono, abordamos uma outra maneira de ver as coisas, maneira esta que nos leva a lançar um olhar completamente diferente – e mesmo oposto – sobre a vida, os outros e si mesmo. É por isso que a prática do Ho'oponopono se torna muito menos simples e que, na realidade, é necessário que cada um efetue uma grande mudança em termos de crenças e valores.

O Ho'oponopono é oriundo de uma tradição ancestral havaiana que quer dizer: *"Endireitar, harmonizar, corrigir o que está errado, reordenar"*. Assim que surgiam discórdias entre pessoas ou problemas de relacionamento no seio de uma comunidade, eles se reuniam em presença de todos os protagonistas e, sob a orientação de um padre, concediam-se o perdão.

O Ho'oponopono é um processo de arrependimento ou reconciliação entre pessoas de uma mesma comunidade, de uma mesma família.

Morrnah Simeona

Depois, houve a intervenção de Morrnah Simeona, xamã e curandeira que atuava com plantas medicinais. Ela pensou consigo mesma que o processo do Ho'oponopono podia ser simplificado, eliminando a presença de um guia ou padre, e que cada um poderia praticá-lo sozinho. Foi o que ela propôs ao ensinar o processo do Ho'oponopono que conhecemos hoje: sozinhos, trazemos a nós mesmos perdão, amor e paz. Não é mais necessário estar em presença dos outros, nem mesmo de um guia ou padre, para conceder o perdão. Antes de tudo, é essencial concedê-lo a si mesmo. Este fato é importante, pois ele mostra a que ponto o processo é adequado à época em que vivemos atualmente, na qual cada ser é cada vez mais levado a cuidar de si mesmo.

Morrnah também dizia que ficamos carregados com o peso das nossas memórias. O objetivo do Ho'oponopono é, portanto, liberar-nos dessas memórias, para que, ao nos desvencilharmos desse véu, possamos descobrir a "Divindade" que está em nós. Assim, poderemos descobrir quem nós realmente somos, o que é essencial.

Com esse processo, as memórias são liberadas e transformadas em pura energia pela "Divindade". É, de certa forma, um verdadeiro processo alquímico, uma transmutação das nossas memórias e medos em puro amor.

Para Morrnah Simeona, *"a paz começa comigo e com ninguém mais"*. Morrnah passou a dar cursos, e o Dr. Len se tornou o aluno mais famoso da xamã, pois foi através dele e de sua extraordinária experiência que o Ho'oponopono se difundiu no mundo.

O Dr. Ihaleakala Hew Len

A história do Dr. Len deu a volta ao mundo, e todos a conhecem mais ou menos: ele exercia a profissão de psicólogo clínico e, um dia, recebeu a proposta de prestar auxílio enquanto responsável da ala psiquiátrica de uma penitenciária do Havaí. É preciso dizer que, naquele estabelecimento, a atmosfera era pesada, horrível, e o perigo era tão presente no cotidiano que os funcionários iam trabalhar morrendo de medo. Eles faltavam frequentemente, e os psicólogos não permaneciam lá muito tempo.

Apesar disso, o Dr. Len aceitou o cargo. Pediu para lhe entregarem os registros de todos os pacientes e, antes de se fechar no escritório, insistiu para que não o perturbassem, pois não precisava ver os doentes – atitude estranha para um psicólogo, mas que foi respeitada.

Os dias passaram e, após cerca de três meses, os funcionários perceberam que, pouco a pouco, a atmosfera e as relações entre os doentes haviam melhorado e comentaram isso com o psicólogo. Depois, perguntaram-lhe o que ele fazia, sozinho, dentro de sua sala, pois sua atitude continuava intrigando-os.

O Dr. Len explicou então que limpava as memórias que tinha em comum ou, para ser mais exato, que havia dividido com cada paciente quando o registro do mesmo aparecia na frente dele.

– Como o senhor faz?

O Dr. Len explicou que limpava as memórias que havia dividido com cada paciente, simplesmente repetindo: "Eu sinto muito, perdoa-me, eu te agradeço, eu te amo".

Ele respondeu: – Simplesmente digo estas quatro frases, repetindo-as: *"Eu sinto muito"; "Perdoa-me"; "Eu te agradeço"; "Eu te amo".*

– E é só isso?

– Só isso.

Foi assim que ele permaneceu no cargo durante quase quatro anos, mas, no final desse período, a ala psiquiátrica da penitenciária fechou as portas. De fato, não restava mais nenhum paciente. Ou eles estavam totalmente curados ou a presença deles naquele lugar não era mais necessária.

O que havia acontecido?

Ao falar sobre todas aquelas pessoas que foram curadas, o Dr. Len explica que ele curava a parte de si mesmo que as havia criado. Ele acrescenta que tudo na nossa vida, tudo o que acontece conosco, é de nossa responsabilidade. Isso quer dizer que tudo o que aparece diante dos nossos cinco sentidos, o mundo que nos rodeia... é criação nossa! Por conseguinte, se alguma coisa lhe desagradar no mundo exterior, você tem a possibilidade de curar no interior de si mesmo as memórias que tiverem criado tal situação.

A realidade física é uma criação dos seus pensamentos

Na verdade, o que se dá fora de você não passa da projeção de alguma coisa que vem de dentro de você, a qual poderíamos chamar de *crenças, pensamentos* ou *memórias*. Eis uma noção que vai de encontro aos ensinamentos que nós, ocidentais, geralmente recebemos, ensinamentos nos quais a pressão das nossas antigas tradições judaico-cristãs é tão onipresente! De fato, para nós é muito mais fácil jogar a responsabilidade nas costas dos outros e assumir o papel de vítima, tão mais confortável!

E, no entanto, não! Aconteça o que acontecer, você não é vítima, aliás, nunca foi – você é somente criador de 100% de tudo o que lhe acontece.

Efetivamente, isso parece difícil de aceitar à primeira vista. Contudo, é a chave de todo o processo do Ho'oponopono. É absolutamente necessário integrar esta ideia por completo antes de iniciar a prática do Ho'oponopono de maneira eficiente.

Um pensamento errado cria uma realidade errada. Quando tenho um pensamento certo, crio então uma realidade de

A realidade física é uma criação dos nossos pensamentos, isto é, somos criadores de tudo o que acontece conosco.

harmonia e paz. E, aqui, é preciso se conscientizar de que tudo está dentro de si. Nada está fora.

Essa é uma noção que muitas vezes é bem difícil de assimilar. Até agora, vivíamos com a ideia de que o responsável era o outro e que os acontecimentos pelos quais passávamos provinham, obviamente, do mundo exterior. Com o Ho'oponopono, essa visão se inverte. Na realidade, nada muda. Simplesmente, não sabíamos que sempre havíamos criado a nossa realidade de maneira inconsciente.

"Assim que alguma coisa surgir à sua frente", diz o Dr. Len, *"você pode se perguntar o que está acontecendo dentro de você, que tipo de experiência você está vivenciando"*. Depois, trata-se de assumir 100% da responsabilidade pelo que você está sentindo e que você está criando. Em seguida, uma vez que tiver aceitado essa situação – que você criou totalmente –, você pode começar o processo de limpeza de todas as memórias que causam os seus desagrados. É porque as memórias não lhe dão nenhuma trégua. Inconscientemente, elas guiam a sua vida e impedem o seu livre-arbítrio de se expressar.

"Não somos a soma das nossas memórias, não somos as nossas memórias, pois somos mais do que isso", dizia Morrnah Simeona.

Tudo o que acontece na sua vida – os acontecimentos, encontros, lugares de residência, viagens –, tudo isso é criado pelas suas memórias. Na realidade, você é como que teleguiado por elas. As memórias fazem você acreditar que é diferente dos outros, e, definitivamente, são elas que lhe dão a ilusão da separação. É por isso que é útil recordar que você não é as suas memórias. Isso o leva a uma questão fundamental que Morrnah Simeona levantou, que o Dr. Len levanta e que, na verdade, todo ser humano tem o direito de levantar: *"Quem realmente sou eu?"*

As suas memórias simplesmente o impedem de ser você mesmo. Ao se liberar dessa "herança" inconveniente, eliminando-as pacientemente uma após a outra, assim como você faria com as camadas de uma cebola, você será levado a descobrir quem você é realmente. Portanto, tudo o que surge no mundo exterior e que o incomoda, desestabiliza e faz sofrer é uma memória. O sofrimento que você vê no outro é uma memória que está se reativando em você.

A origem de tudo o que acontece com você e o afeta é uma memória.

O Ho'oponopono lhe permite limpar todas as suas memórias. Porém, na verdade, não existem boas ou más memórias, é a mente que julga, decidindo o que é bom ou mau. A realidade é bem diferente. Há apenas certas memórias que lhe parecem erradas e outras que lhe parecem certas. Há simplesmente memórias que você deve limpar para se liberar. O Ho'oponopono lhe permite fazer isso.

As diferentes partes da sua identidade

As memórias ficam armazenadas no subconsciente, o qual os havaianos chamam de *Unihipili* ou "Criança Interior". É a sede das emoções e das memórias. É por isso que o processo do Ho'oponopono incita a pessoa a pedir para a sua Criança Interior se desprender dos seus medos e liberar as memórias que causaram o problema ou a situação. É nessa parte do eu que ficam guardadas todas as memórias. A Criança Interior sente uma grande necessidade de ser reconfortada e amada, e é através do amor que ela poderá se aliviar desse fardo e liberar as memórias.

Por outro lado, a consciência ou *Uhane*, que quer dizer "mãe" para os havaianos, é a parte que representa a mente ou o intelecto, que tem escolha entre limpar as memórias ou não iniciar o processo e continuar assim alimentando a ilusão do controle. Seu papel é importante. Ele requer muita humildade, pois, ao optar por limpar as memórias, a mente deve soltar as rédeas. Ela deve ter confiança e se retirar diante da "Divindade".

Por fim, a supraconsciência ou alma ou ainda Eu Superior é chamada pelos havaianos de *Aumakua*, que quer dizer "pai". É essa parte que está em conexão direta com a Divindade Interior e à qual pediremos para limpar as memórias assim que elas forem liberadas pelo subconsciente. O pedido se destina ao Eu Superior ou à alma, que logo passa a bola para a Divindade Interior, cujo papel é limpar e purificar a(s) causa(s) do problema. Podemos também nos dirigir diretamente à Divindade Interior.

Como se faz para limpar?

Vamos utilizar as quatro frases-chave do processo do Ho'oponopono, que são: *"Eu sinto muito"; "Perdoa-me"; "Eu te agradeço"; "Eu te amo".*

Uma prática regular do processo do Ho'oponopono pode levar você a reduzir essas frases a um simples: *"Sinto muito, perdão, obrigado, eu te amo"* ou ainda *"Obrigado, eu te amo".* Acima de tudo, deixe-se guiar pela sua intuição e utilize as palavras que lhe convierem.

Você diz *"Sinto muito"* porque não sabia que tinha essa memória dentro de si. Depois, diz *"Perdão"* à Divindade e lhe pede para ajudá-lo a se perdoar por ter-se deixado levar por tais memórias. Você *"agradece"* em seguida às memórias por terem aparecido para você, dando-lhe a oportunidade de liberá-las, e você também agradece à Divindade pela ajuda nessa liberação.

E você conclui com *"Eu te amo"*, pois somente o amor cura. Dizendo isso, você está se dirigindo às suas memórias, bem como a si mesmo.

O processo do Ho'oponopono é de se perdoar, agradecer a si próprio e enviar amor a si mesmo. Fazendo isso, você apaga a memória. À medida que esse sofrimento vai desaparecendo em você, ele também desaparece no outro. Quando você diz essas palavras, está dirigindo-as a si mesmo, mas, de modo mais específico, à criancinha que existe em você e está sofrendo.

É o que faz a simplicidade do Ho'oponopono. Não é mais necessário procurar de onde vem a memória em questão, nem em que acontecimento doloroso ela teve origem. Parece difícil para a mente, pois ela quer, ao contrário, controlar e entender tudo.

> *Você não tem de fazer, nem entender nada, apenas, pedir.*

Porém, a mente é útil nesse processo, e o papel dela é importante. Ela tem livre-arbítrio. Pode tomar a decisão de desistir de todo controle e todo poder e confiar na Divindade Interior, pedindo para o seu Eu Superior limpar e liberar você das suas memórias.

É por isso que, quando entramos na energia do Ho'oponopono, é preciso conseguir desenvolver uma grande confiança em si, uma fé total na sua alma, para que a mente consiga finalmente abandonar todo poder e controle. O intelecto dá lugar à intuição do coração.

Poderíamos dizer que a mente se assemelha a um supercomputador, um computador tão aperfeiçoado que o homem nunca será capaz de fabricar uma máquina com tamanho desempenho. Porém, um computador sem programas e sem dados não teria nenhuma utilidade. Seria apenas uma máquina vazia.

A mente funciona da mesma maneira, pois são as suas memórias do passado que lhe servem de dados. A mente sempre se refere a elas antes de tomar uma decisão, o que conduz você a levar a sua vida de acordo com esquemas ditados pelo passado. Se você parar de julgar, isto é, deixar de utilizar as receitas do passado, viverá o momento presente e estará disposto a acolher uma nova realidade. Uma realidade que não estará mais sob controle do seu ego, mas sim sob a orientação da sua alma.

Desapegar-se das expectativas

O objetivo, a finalidade do Ho'oponopono é conectar você à sua Divindade Interior através da sua alma.

Para isso, é preciso se desprender de toda expectativa, pois estar na energia do Ho'oponopono significa não precisar mais procurar entender, mas também não esperar nenhum resultado. Criar expectativas é fazer a mente interferir de novo.

O fato de ficar na expectativa de alguma coisa quer dizer que a mente está intervindo. Quando a mente retoma o controle, a alma se retira, e nada acontece. A partir desse instante, a mente trava o processo. Portanto, ela deve se desprender completamente.

Parece que esse aspecto, ou seja, "desapegar-se das expectativas", é o mais difícil de realizar, pois isso quer dizer "não querer nada". Para perseguir e atingir um objetivo, fomos acostumados a abordar primeiro a compreensão, o estudo dos dados, e depois entrar em ação. Estamos aqui no âmbito do "raciocinável", que depende do intelecto, da mente e do ego. Aliás, a própria escolha do objetivo a alcançar é, de antemão, fruto de uma reflexão da mente. É assim que, geralmente, cada ser funciona.

Para fazer a escolha de um objetivo a atingir, a mente explora seu banco de dados, composto pelas memórias ou experiências passadas, assim como um computador faria com os dados gravados em seu disco rígido. Assim, a escolha de um objetivo ou uma decisão a tomar, no fim das contas, não passa de um produto das nossas memórias. É a razão pela qual a mente se engana com tanta frequência.

O estado "vazio" e o momento presente

A mente só existe no passado ou no futuro, perdendo seu poder e qualquer controle no momento presente. No presente, a mente não pode mais agir e solta as rédeas. É por isso que o processo do Ho'oponopono só conhece o tempo específico do "aqui e agora". A condição de sua eficácia é praticá-lo no momento presente, permanecendo desconectado da mente.

Quando praticamos o Ho'oponopono, eu diria mesmo quando "vivemos" o Ho'oponopono – pois é um estado de espírito –, o "desapego" e o desprendimento devem ser totais para atingir o estado de "vazio", o estado "zero" mencionado pelo Dr. Len. O estado de "vazio" só pode ser alcançado no "aqui e agora".

A inspiração vem da alma ou da Divindade que existe dentro de nós. Pois bem, a Divindade sabe exatamente o que é bom para nós. A inspiração sempre é certa.

É nesse estado de "vazio", no qual não se quer mais nada, que a inspiração pode surgir.

O amor-próprio

É importante manter a energia do amor em um nível sempre elevado. Para isso, pense nessas frases no cotidiano e dia após dia. Recorremos ao processo do Ho'oponopono para tudo. Assim que você sair de casa para ir ao trabalho ou a um compromisso, peça logo para o seu Eu Superior ou a Divindade limparem em você o que poderia ser causa de um problema ou obstáculo qualquer com as pessoas que você vai encontrar.

Dê asas à sua intuição para encontrar as palavras e frases que lhe forem mais convenientes. Dirija-se à sua Criança Interior e peça para ela se desprender das memórias, agradeça lembrando-lhe que você a ama. Reconforte-a.

Repita as frases: "Sinto muito"; "Perdão"; "Obrigado"; "Eu te amo", e você verá pouco a pouco a magia se realizar.

Dirija-se ao seu Eu Superior, pedindo-lhe para limpar, purificar, com o auxílio da Divindade, as causas do problema e agradeça-lhe.

Você pode se dirigir mais especificamente às suas memórias, lembrando-lhes o seu amor por elas, pois as mesmas dão a você a oportunidade de liberá-las e, assim, de se liberar.

É por isso que, ao praticar o Ho'oponopono todo dia e várias vezes por dia, você desenvolverá dentro de si, cada vez mais, valores maravilhosos, que são como parcelas de amor, tais como gratidão, perdão, desapego, humildade, alegria, não julgamento, fé em si e amor-próprio.

É assim que você descobrirá, pouco a pouco, quem você realmente é.

O objetivo do Ho'oponopono é liberá-lo das suas memórias para você atingir a luz e a iluminação, no intuito de alcançar liberdade e paz.

Como praticar o Ho'oponopono

Por trás de toda situação, todo acontecimento e todo encontro que ocorre na sua vida, esconde-se uma memória. A finalidade do Ho'oponopono é liberar você de tudo o que possa impor obstáculos na sua vida ou ser fonte de dor, pesar ou sofrimento.

A prática deve conduzir você a um estado "zero", isto é, um estado de "vazio" no qual a mente dá total controle à sua parte divina para que você acolha a mensagem dela, no que é comumente chamado de inspiração. O objetivo é permanecer nesse estado o máximo de tempo possível, a fim de estar permanentemente disposto a acolher.

A prática do Ho'oponopono deve se tornar um reflexo em cada instante da sua vida. Convém acolher todas as coisas, por mais insignificantes que elas sejam, com um sentimento de gratidão, perdão, humildade e amor.

Não há nenhuma obrigação nisso e nenhum esforço a fazer. Uma vez esse reflexo adquirido, as frases: *"Sinto muito"; "Perdão"; "Obrigado"; "Eu te amo"* virão automaticamente aos seus pensamentos ou aos seus lábios.

Pronunciar essas palavras não é nem uma imposição absoluta, nem uma condição *sine qua non*. Acontece muito de eu dizer simplesmente *"Obrigado, eu te amo"*, repetindo essas palavras várias vezes. Você pode empregar as palavras que mais lhe convierem. Certas pessoas dizem *"Luz"* ou *"Eu aceito"* ou ainda somente *"Obrigado"*.

Assim, quando surgir um desagrado qualquer, você pode enunciar o processo completo em pensamento ou em voz alta: "Eu sou totalmente criador do que está acontecendo e aceito esta situação. Sei que ela foi produzida por uma memória e vou decidir liberá-la. Por isso, peço para a minha Criança Interior ou subconsciente deixar essa memória ir embora e se desprender dela. Peço para a minha alma, que está relacionada à minha Divindade Interior, limpar essa memória, no intuito de purificá-la e transformá-la em luz". Em todo este processo, convém sempre permanecer sem expectativa quanto ao resultado final.

Na prática, basta dizer simplesmente: *"Sinto muito, perdão, obrigado, eu te amo"* ou *"Obrigado, eu te amo"*, sabendo que essas palavras contêm todo o processo.

Você pode praticar o Ho'oponopono para tudo. Pode começar a limpar as memórias desde que acorda de manhã, pensando, por exemplo, nos seus compromissos daquele dia, mesmo se não souber quais são os que poderiam apresentar um obstáculo ou incômodo para você. Por isso, em cada encontro, diga: *"Sinto muito, perdão, obrigado, eu te amo"*, para que ele ocorra da melhor forma possível para você.

Você também pode fazer o Ho'oponopono no carro, no metrô, no trabalho, em família: assim que ocorrer uma situação constrangedora ou um desacordo, haverá motivo para limpar, pois se tratam de memórias.

Praticar assim o Ho'oponopono é uma boa maneira de iluminar o seu caminho. É um desapego permanente. Entretanto, para se desapegar, é preciso, antes de tudo, proceder a uma responsabilização. Em seguida, vem a aceitação, que se alcança subindo a um nível superior, no qual você se lembra de quem você é. É assim que você pode decidir liberar a memória que está agindo geralmente de forma inconsciente. Depois, você dá permissão de existir à parte divina do seu ser, que, através do amor, virá transmudá-la.

O poder criador

Gandhi dizia: "You must be the change you want to see in the world" ("Seja a mudança que você quer ver no mundo"). Isso porque, como o mundo não passa de um reflexo do que nós somos, quando nos transformamos, o mundo se transforma. O mundo somos nós.

Quando acontece algo desagradável na sua vida, o que você faz instintivamente? Procura, no mundo exterior, um culpado, alguém que você possa acusar. Isso parece tão óbvio que você nem se pergunta se é verdade ou não: já que a coisa aconteceu fora de você, o culpado também está no mundo exterior.

Aliás, os que governam incitam você a olhar para o lado de fora o tempo todo. Isso o leva a se enxergar como vítima e considerar que o perigo sempre vem de fora. Cada um se desresponsabiliza de tudo, e é assim que, por causa de fatos insignificantes, o médico, o professor dos filhos, o chefe ou o vizinho são processados na justiça. Na área da saúde, encontram-se bodes expiatórios bastante práticos, tais como os vírus, o tabaco, a poluição e várias outras coisas. As religiões já trilharam o caminho há muito tempo, inculcando-lhe a ideia de que você é pecador de nascença e vive sob o olhar inquisidor de um deus impiedoso, pronto para puni-lo.

Desde o nascimento, o arquétipo de vítima fica bem arraigado em você, o que vem a calhar aos negócios dos poderes exteriores, sejam eles políticos ou religiosos.

Porém, ao continuar procurando o responsável pelo seu desagrado fora de você, o que acontece? Você abre mão do seu próprio poder! Como o responsável está em outro lugar, você concede a ele o seu poder e não controla mais a sua vida.

Conclusão: se um agente exterior é culpado do seu infortúnio, então ele tem todo o poder sobre você! Pois bem, entregar o poder nas mãos dos outros é o que fazemos constantemente a vida inteira.

A esta altura, você com certeza está pensando: "*Se eu sou responsável pela situação que está me incomodando, como vou resolvê-la?*" Se você aceitar que é criador de tudo o que lhe acontece, poderá mudar a sua realidade.

A partir desse momento, você reconquista o seu poder, pois considera que ninguém mais, além de si mesmo, é responsável pelo que lhe acontece. Não é mais culpa dos outros, que só interferem na sua vida para lhe mostrar o que há a mudar e melhorar em você.

Portanto, você pode dizer: "Você não tem nenhum poder sobre mim, sobre a minha vida. Eu sou o artesão da minha vida. Vou mudar aquilo que fez com que me acontecesse uma coisa que me incomodou ou me fez sofrer. Eu controlo a minha vida".

Os outros não são, de forma alguma, os responsáveis: você é o único responsável pelas coisas que acontecem na sua vida. Por tudo!

Quando surge um problema na sua vida, será que a solução dele está fora de você, no mundo exterior? Se você quiser que tal problema deixe de existir, será que deve tentar mudar os outros, que, segundo você, são as causas do problema que o está atrapalhando? Vejamos a resposta com o retroprojetor.

O retroprojetor

Vou citar um exemplo que vai lhe mostrar o que quer dizer "criar a sua realidade em cada instante da sua vida" e também o fato de que um problema não está onde normalmente pensamos que ele esteja. Você sabe o que é um retroprojetor. É um aparelho que projeta imagens, umas após as outras, em uma tela.

Vamos supor que você esteja confortavelmente sentado na casa de uns amigos, vendo uma série de *slides*. E, de repente, ao ver a última imagem que aparece, alguma coisa deixa você extremamente incomodado. Talvez seja uma frase escrita ou então a representação de uma cena, um personagem ou cores, formas, mas não importa muito saber o que é. O que se nota é que, naquilo que você está vendo, alguma coisa o incomoda a ponto de suscitar em você uma enorme emoção. Essa emoção parece afetá-lo terrivelmente, pois, de súbito, dominado pela raiva, você se levanta e vai até a imagem. Depois, pegando um objeto cortante, raivosamente, você rasga a tela. Porém, vê que a imagem continua sendo projetada um pouco mais adiante, na parede situada logo atrás. Então, você se precipita até ali com o objetivo de destruir aquela imagem, que lhe é tão incômoda.

Se lhe dessem uma picareta para quebrar a parede no lugar onde a imagem está se projetando, seria este o método certo para fazer a imagem desaparecer? Claro que não! Todos nós sabemos que, para mudar uma imagem projetada por um retroprojetor, basta simplesmente mudar o *slide* que está dentro dele. Por conseguinte, se uma imagem projetada por um retroprojetor estiver incomodando você, a solução do problema não está na tela ou na parede, mas sim no próprio retroprojetor.

Basta trocar o slide *para simplesmente ver outra imagem e, desta vez, uma imagem que lhe convenha!*

Você acha que é diferente com você? Óbvio que não! Você funciona, de certa forma, como um retroprojetor. Quando aparece um problema, você imediatamente é levado a buscar a solução dele fora de si mesmo, como se a ou as causas do problema fossem separadas de você, ou seja, como se essas causas não estivessem conectadas a você. Se fizer isso, com certeza estará procurando no lugar errado, pois a solução de qualquer problema que você encontre não está no mundo exterior. De fato, um acontecimento que sucede não tem existência própria fora de você. A percepção que você tem dele é, na verdade, apenas o reflexo dos seus pensamentos, crenças e memórias.

Você é, de certa forma, um retroprojetor – com um desempenho mil vezes melhor, sem sombra de dúvida –, pois, assim

Assim como um retroprojetor, você encontrará a solução do seu problema não no mundo exterior, mas sim dentro de você, no seu universo interior, seja qual for a causa dele.

como ele, você projeta imagens, cenas e personagens que não passam do reflexo do que você é dentro de si mesmo, dos seus pensamentos... E relembremos que, quanto mais intensas são as emoções que acompanham tais pensamentos, mais criadores são os seus pensamentos. Mas de onde vêm os seus pensamentos, a não ser das suas memórias? Memórias estas que, através de um procedimento muito simples, o Ho'oponopono lhe propõe limpar, a fim de liberá-lo da dominação delas e levá-lo à paz.

O perdão abre as portas para o amor

As frases *"Eu sinto muito"; "Perdoa-me"* fazem parte do processo do Ho'oponopono. Pode-se dizer igualmente: *"Eu sinto muito, pois não sabia que tinha essas memórias dentro de mim. Perdoa-me, minha Criança Interior, que já sofreu muito e que eu deixei desamparada, perdoa-me, minha alma, por tê-la privado da minha confiança, perdão, minhas memórias, por tê-las ignorado e perdão a mim mesmo pelos sofrimentos que eu me infligi por falta de amor-próprio... e peço perdão aos outros pela maneira como fiquei julgando-os"*.

Normalmente, você acha que deve perdoar os outros pelo que eles lhe fizeram. Os outros são considerados como culpados, e você fica então julgando-os. Contudo, como você pode julgar os outros se eles não passam de um reflexo de si mesmo? Julgar os outros é julgar a si próprio.

Ao julgar ou criticar, você fecha o seu coração para o amor, fonte de vida que está por toda parte, e deixa de amar. O fato de julgar induz a dualidade e a separação que desconectam você da energia do amor. E, quando você deixa de amar, logo penaliza a si mesmo, pois se afasta do amor.

É por isso que, com um sentimento de profunda sinceridade, você deve pedir perdão àqueles que, "aparentemente", causaram os seus desagrados, porque, ao julgá-los, você os usou para se fechar ao amor.

O perdão é essencial no processo do Ho'oponopono, pois ele libera as suas zonas de sombra e os seus medos, abrindo você para o amor.

A luz e a sombra

Imagine um instante que você esteja em um cômodo sem janela. Há uma porta cujas frestas foram perfeitamente tapadas. A luz está apagada, fazendo com que o cômodo esteja mergulhado na escuridão total. Você está ali, em pé, dentro do cômodo completamente escuro. Sua mão está na maçaneta da porta. Você sabe que, do outro lado, há um outro cômodo perfeitamente bem iluminado e muito claro.

De um só gesto, você abre a porta. O que acontece? Você fica ofuscado, sem dúvida, mas, sobretudo, logo observa que a luz entra no cômodo em que você estava antes. Isso não o surpreende e é normal. Em compensação, você notou algo diferente no cômodo que estava muito bem iluminado? Ele ficou mais escuro? Claro que não: o cômodo que estava muito claro continuou claro e não mudou de luminosidade. Ele ainda está tão luminoso quanto antes.

Essas são questões que podem lhe parecer absurdas. Está na cara, dirá você. E, no entanto, observe o seguinte: o escuro, por exemplo o do cômodo sem janela, só existe por ausência de luz. É isso mesmo? É sim, visto que, assim que deixamos entrar luz em um cômodo não iluminado, o escuro se atenua e se torna menos escuro.

Mas então! Poderíamos dizer que o escuro não existe? A ciência sabe tudo sobre a luz – sua composição, sua velocidade etc. Todavia, será que ela já estudou o escuro? Não que eu saiba.

A luz está em todo lugar, e, da mesma maneira, o amor também está em todo lugar. Ele está em todas as coisas, fazendo parte integrante de tudo o que existe. Os seus medos são as suas zonas de sombra, as suas partes escuras.

O escuro é o contrário da luz, o seu oposto. Da mesma maneira que o escuro só existe por ausência de luz, pode-se dizer que os nossos medos só existem por ausência de amor.

Vamos voltar à nossa metáfora. Imagine que você esteja no cômodo obscuro, com a mão na maçaneta da porta. A porta está ligeiramente entreaberta para muitos, um pouco mais aberta para outros. Mas por que você não abre essa porta completamente, para ficar banhado de luz? Por que você mantém a mão bem firme na maçaneta da porta, impedindo-a de se escancarar para o amor? Por que você permanece agarrado aos seus medos e continua se fechando para o amor? É difícil se separar dos seus hábitos, das suas memórias e das suas lembranças. Você está acostumado com eles, conhece-os e, mesmo que eles sejam sinônimo de dor e sofrimento, conserva-os por preguiça, por medo da mudança e por temor diante do desconhecido.

Efetivamente, se ninguém lhe tiver mostrado o caminho do amor, se não lhe tiverem ensinado a amar a si mesmo, a simplesmente amar, o amor verdadeiro pode assustar. Aliás, pode parecer paradoxal dizer isso. No entanto, dá para entender que tudo o que você não tem dentro de si é desconhecido, e o desconhecido provoca medo. Se o amor não existe em você naturalmente, você não pode atrair o amor.

Contudo, parece tão fácil girar a maçaneta daquela porta e, assim, ser invadido pelo amor! Para isso, sem dúvida seria preciso desenvolver dentro de si mesmo o desapego, a autoestima e a fé na sua alma. Não se trata de abrir a porta de forma demasiado brutal, pois o ofuscamento poderia ser doloroso. Cada um deve fazer isso no seu ritmo, de acordo com a sua própria evolução.

É o perdão total que pode nos levar ao desapego e nos liberar. "O verdadeiro perdão deve incluir um desapego completo da consciência de vítima" (Colin C. Tipping. *Radical Forgiveness*, 2009.)

O perdão total

Para as nossas mentes ocidentais sob influência judaico-cristã, o perdão é um conceito delicado, pois ele nos aprisiona na noção de culpa. *"Se estou pedindo perdão, é porque sou culpado de um erro."* O ego tem horror de reconhecer seus erros e ainda mais de pedir perdão.

É por isso que se livrar da dominação de memórias tão pesadas, ensinadas há tantos séculos, não é nada fácil! Além disso, há um quê de humilhação em admitir a própria culpa, o próprio erro. Porém, quando a humilhação se transforma em humildade, o perdão pode liberar você do papel de vítima totalmente, convidando-o a modificar radicalmente a sua visão do mundo, bem como a interpretação de tudo o que acontece com você.

Na prática do Ho'oponopono, no momento em que você disser *"Perdão"* ou *"Perdoa-me"*, dirija esse perdão a si mesmo. Você alcançará então o estágio supremo que o poder do perdão proporciona, despertando um sentimento de felicidade indescritível, um alívio libertador, um desapego total. As portas do seu coração se abrirão finalmente sem esforço, a luz o invadirá e o arrebatará. Será como um novo nascimento.

Pode-se ver o perdão como o eixo central do processo do Ho'oponopono. Se o pedido de perdão for feito com muita sinceridade e uma profunda humildade, os medos e as resistências podem começar a se dissolver e dar lugar a um sentimento de amor total. O perdão é verdadeiramente uma porta que lhe permite passar da dominação do ego para o espaço infinito de liberdade e de paz que existe no coração.

O perdão é um ato de amor, um dom de si total.

É através do dom que você constituirá uma "unidade" com a Fonte Divina. "Ao optarmos por pedir perdão, trocamos o nosso orgulho e a importância que atribuímos a nós mesmos por humildade e simplicidade. Renunciamos às nossas pretensões, à nossa suposta superioridade, descemos do nosso pedestal... e algo de repente se abre em nós. Desfazendo-nos da nossa armadura, desapegando-nos das nossas recriminações, reconquistamos a nossa liberdade" (Olivier Clerc. *Le don du pardon*, 2010).

O Buda de ouro

O amor está por toda parte, garantindo a coesão e unidade de todas as coisas, do Universo, de todos os organismos vivos, de nós mesmos, estejamos nós conscientes ou não disso.

Tudo é amor, você é amor.

Mas, então, o que lhe impede de ter acesso a essa maravilha, a esse tesouro que existe dentro de você? São os seus medos. Os medos agem como uma carapaça protetora, uma construção do ego. É uma máscara social que lhe permite se mostrar em face do mundo.

Vamos ilustrar essa questão através de uma história que ocorreu na Tailândia. Em 1957, um grupo de monges recebeu a tarefa de levar de um templo para o outro um Buda gigante de argila. O mosteiro deles devia ser deslocado para permitir a construção de uma rodovia que atravessaria Bangcoc. Foi necessário um guindaste para içar aquele enorme Buda. Porém, ele era tão pesado que apareceram rachaduras. Depois, começou a chover. Então, preocupados em preservar a estátua, os monges a colocaram no chão e a cobriram com uma grande lona para protegê-la.

Durante a noite, o monge superior quis verificar o estado do Buda. Ao ligar uma lanterna para ver se a estátua havia permanecido seca, ele percebeu, no lugar em que as rachaduras haviam aparecido, um reflexo brilhante. Isso o intrigou, e, ao olhar de perto, pareceu-lhe que a argila estava escondendo outra coisa. Na mesma hora, ele foi buscar um martelo e um cinzel e começou a retirar pedaços de argila no lugar da rachadura. À medida que o trabalho avançava e que o monge derrubava pedaços de argila, o Buda ia se tornando cada vez mais brilhante.

Ao cabo de um esforço que durou a noite toda e após ter retirado a totalidade das camadas de argila que o envolviam, o monge teve a imensa surpresa de ver aparecer diante de si um magnífico Buda de ouro maciço.

Os historiadores acham que, vários séculos antes, quando o exército birmanês estava se preparando para invadir o Sião (que mais tarde se tornou a Tailândia), alguns monges, informados sobre a iminência do ataque e preocupados em proteger seu precioso Buda de pilhagens, haviam-no revestido com uma espessa camada de argila. Como

Durante séculos , esse Buda mostrou sua carapaça grosseira e, no entanto, sólida, escondendo o seu tesouro interior.

todos os monges morreram durante o ataque, o Buda foi abandonado, e seu segredo ficou bem guardado, sendo descoberto apenas em 1957.

Uma bela história, extremamente simbólica, pois ela mostra que você está, assim como o Buda de ouro, recoberto por uma carapaça criada inteiramente pelo seu ego, sob o efeito dos seus medos.

A limpeza das memórias

Em geral, você detesta a camada de argila que o reveste, carapaça esta composta pelos seus medos, crenças e memórias. Contudo, você admitirá facilmente que o Buda de ouro deve ter sentido um amor e uma gratidão infinitos pela carapaça de barro, que o protegeu dos saqueadores durante tantos anos.

Da mesma forma, você deve domar e depois amar os seus medos, pois as faces ocultas deles escondem um tesouro. A sua missão individual não seria se desfazer dessa carapaça, desse véu que dissimula a sua verdadeira natureza e o impede de descobrir quem você realmente é?

Assim, tal carapaça parece ser depositária de uma mensagem divina, no intuito de guiá-lo ao longo da sua própria evolução. Ela cumpriu o papel dela até agora: proteger você. É explorando cada faceta de todos os seus medos que você poderá, pouco a pouco, desvendar as do puro amor que constituem a sua Divindade Interior.

> *Em uma noite, o monge fez aparecer o ouro maciço no interior do Buda. Você tem a vida inteira.*

O monge utilizou um martelo e um cinzel. Você tem à sua disposição a mais maravilhosa das ferramentas. Com o Ho'oponopono, você poderá limpar as "camadas de argila" que são as suas memórias.

Fortaleça a sua paciência, autoconfiança, a gratidão e o amor pelos outros e por si mesmo, e a prática cotidiana do Ho'oponopono liberará você, pouco a pouco, das suas memórias, ajudando-o a descobrir, ao longo da sua evolução, o seu "tesouro" interior, o ser de luz que você realmente é.

O amor está na unidade

Podemos imaginar o Universo como um imenso quebra-cabeça. Cada planta, cada ser vivo, você, eu, cada planeta, tudo o que existe constitui uma das peças desse quebra-cabeça. Cada componente não passa de uma parcela daquele "todo" que chamamos de Energia Universal, Consciência Universal, Amor Universal, Fonte ou... Deus – não importa o nome que lhe dermos! Cada uma dessas peças é essencial para a composição do Todo. Assim como cada zona de sombra e luz é indispensável à construção da sua integridade individual, cada ser vivo é indispensável à composição da Energia Universal.

Quando se projeta um facho de luz branca em um prisma de vidro, a luz se refrata e sai transformada em arco-íris. Quando se inverte a operação e se projeta uma luz colorida, todas as cores se juntam e reconstituem uma luz branca. Para obter novamente essa luz branca perfeita, é necessário que cada uma das cores que constituem o espectro esteja presente. Suponha que se retire uma única vibração do conjunto de todas essas cores, mesmo uma ínfima parcela: é óbvio que a mesma operação não resultará em uma luz completamente branca.

Imagine que cada ser humano seja uma dessas cores. Vemos então que, se um único ser for rejeitado, deixado de lado, por "não ser amado", a humanidade não poderá alcançar totalmente o amor perfeito e incondicional, pois todos nós estamos conectados, unidos em uma única energia, que é o amor.

Aceite os outros como sendo uma parte de você mesmo.

Cada ser humano também deve reconhecer e aceitar todas as facetas que compõem a sua totalidade, sejam elas ódio, raiva, ganância, alegria, paz etc.

O branco não é a ausência de cor, mas sim a mistura de todas as cores. Assim, o amor é o conjunto de todos os seus valores e de todas as suas zonas de sombra, englobando tudo.

Não existe bem ou mal, como também não existem defeitos, nem qualidades. Há simplesmente as suas memórias, que ocultam o ser resplandecente de luz que você é.

2
Ho'oponopono
Do mundo psíquico à realidade quântica

Luc Bodin

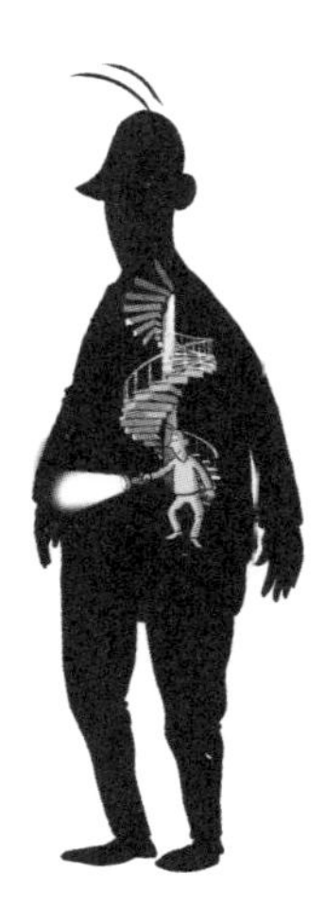

As memórias erradas explicadas pela PNL

Não tenha medo de andar devagar,
tenha medo apenas de parar.
Provérbio chinês

Em palestras de apresentação do Ho'oponopono, com frequência ouvimos dizer que se trata de uma técnica para permitir apagar as memórias erradas, pois elas são responsáveis por situações desagradáveis encontradas no cotidiano. Assim, o Ho'oponopono o libera dos fardos que você carregava nos ombros – muitas vezes sem nem se dar conta disso – e que freavam os seus impulsos e perturbavam o seu raciocínio.

No entanto, essas palestras nunca explicam o que são as famosas "memórias erradas". Todavia, parece importante ter conhecimento das origens delas, no intuito de entender bem o seu mecanismo de ação, mas também compreender por que é tão importante apagá-las.

Assim como todo mundo, você carrega valores e crenças que são, para si, regras de vida essenciais. A maioria provém dos seus pais e da sua tenra infância. Porém, eles podem ser modificados, transformados, apagados ou alterados ao longo da sua vida, de acordo com as suas experiências e encontros.

A Programação Neurolinguística[3], mais conhecida pela sigla PNL, permite entender as origens dessas memórias perturbadoras. A PNL explica que todas as suas posições na vida, suas decisões e suas escolhas estão diretamente ligadas aos seus valores[4] e às suas crenças[5]. Se, por exemplo, sucesso social for importante para você, é claro que as decisões que você toma não serão idênticas às de uma pessoa para quem a vontade de agradar e ser amada pelos outros não é primordial.

---

3 A Programação Neurolinguística constitui um conjunto de técnicas de desenvolvimento pessoal e de comunicação, aperfeiçoadas por John Gringer e Richard Bandler nos anos 1970 nos Estados Unidos. Ela permite que as pessoas eliminem seus bloqueios e superem suas dificuldades.

4 Valor: importância às vezes exagerada que uma pessoa dá a uma coisa, qualidade ou regra de conduta e que dirige a vida dela. Pode ser honestidade, confiança ou busca de sucesso, necessidade de reconhecimento...

5 Crença: ação de acreditar em alguma coisa, mesmo sem provas objetivas. Pode ser acreditar em um deus, acreditar que o Universo busca a nossa destruição, acreditar que a vida é difícil etc.

Esses valores e crenças se tornam, para você, coisas evidentes, tais como "o céu é azul" ou "a grama é verde"... Entretanto, eles são totalmente subjetivos e diferem dependendo das pessoas. Estão tão arraigados dentro de si mesmo que você nem tem mais consciência do caráter subjetivo deles. Enquanto, a princípio, os seus valores e crenças eram apenas postulados, eles pouco a pouco se tornaram elementos fundamentais aos seus olhos e, atualmente, comandam a sua vida. São, por exemplo, o cumprimento da palavra dada, a honestidade, o sucesso social, a gentileza, a busca de poder, a família, o trabalho, a necessidade de dinheiro, o poder, a busca de reconhecimento etc. Todos esses postulados se tornaram, pouco a pouco, mecanismos fundamentais, automáticos, muitas vezes inconscientes... e constituem grande parte das suas "memórias".

Dentre estas últimas, algumas podem ser falsas, limitadoras e até mesmo enganosas. São as "memórias erradas", que culminam em decisões insensatas e comportamentos aberrantes. Tudo isso porque a sua visão do mundo é distorcida por um filtro feito de crenças ou valores irracionais. Por exemplo, se você considerar que o mundo é maldoso com você e deseja a sua destruição, terá muita dificuldade em sair de casa, ir assistir a espetáculos, viajar ou simplesmente sair para encontrar os outros... o que, você há de concordar, atrapalhará muito as suas ocupações cotidianas, mas também a sua evolução pessoal.

A essas crenças e valores enganosos acrescentam-se os medos, que também limitam imensamente as suas atividades e escolhas na vida. Esses três elementos dão origem à maioria das suas "memórias erradas".

Vejamos agora, com mais detalhes, de que se trata.

► *Os medos*[6] provêm principalmente dos medos sentidos pelos pais ou entes queridos (família, amigos, professores), que os transmitem aos filhos, muitas vezes de forma inconsciente (e até mesmo pensando, ao contrário, que os estão preservando de tais temores). Assim, eles transmitem aos descendentes a sua visão do mundo e dos acontecimentos. Porém, não tenha medo, todos os pais, mesmo os mais atentos, produzem este efeito.

Por exemplo, o simples fato de dizer a uma criança, para tranquilizá-la: "*Não precisa ter medo da tempestade*" programa nela o medo de tempestade... Ninguém diz: "Não precisa ter medo da maçã" ou "*Não tenha medo da nuvem no céu*"! A simples frase "*Não precisa ter medo de...*" imediatamente faz a criança entender que, naquela situação, há razões de ter medo... enquanto a mãe ou o pai pensava, ao contrário, estar afastando-a deste pensamento!

Entretanto, isso também pode se dar de maneira mais sutil e não passar pela linguagem oral. O não verbal também é muito bem percebido pelas crianças. Elas sentem perfeitamente os medos que os pais experimentam só de verem a atitude deles, como por exemplo a fobia de multidão em centros comerciais... Sem sequer expressá-los para as crianças, elas registram esses temores e os sentem por conta própria.

Os medos também se constituem ao longo da vida, de acordo com as situações vivenciadas: acidentes, lutos, demissões, separações e agressões são, todas elas, situações que podem fragilizar uma pessoa e ser fonte de medos ulteriores: medo de acidentes de carro, medo de perder o filho, medo de ser demitido, medo de o(a) cônjuge largá-lo(a) etc.

---

6 Medo: "sentimento de inquietude, sentido em presença de ou ao pensar em um perigo" (definição do Larousse). Esse perigo pode ser tanto real quanto imaginário.

Os medos bloqueiam a vida das pessoas e as impedem de se realizar.

▸ *Os valores* também interferem diretamente na direção e organização da sua vida. Todo mundo possui entre cinco e dez valores. Eles constituem as bases sobre as quais você leva a sua vida. O inconveniente é que alguns deles podem ser limitadores ou inadequados, bloqueando a sua evolução (como, por exemplo, uma doutrina rígida demais) ou deformando a sua realidade (como, p. ex., "ser sempre bonzinho").

Foi assim que uma moça havia sido programada durante a infância com esse valor. Sua mãe sempre lhe dizia: *"Ah! Sílvia, se você fosse boazinha, iria comprar pão lá na padaria"* ou *"Venha cá, Sílvia, seja boazinha e vá buscar os meus óculos, que eu esqueci na sala de jantar"*... Essas pequenas frases, repetidas cotidianamente, criaram, na cabeça da jovem, uma regra de ouro: *"Ser sempre boazinha"*... com todo mundo! Isso lhe causou muitos transtornos na sua vida amorosa, bem como na sua vida de mulher, pois ela não sabia dizer não. Sua permanente gentileza chegou a levá-la a se casar com três homens, por quem, no entanto, ela não sentia nenhum ardor amoroso em especial – mas ela nunca havia ousado lhes dizer não –, o que a conduziu a três divórcios sucessivos, seguidos de uma dolorosa vida solitária. Até o dia em que ela entendeu que todas aquelas situações eram fruto de uma memória errada que ela tinha dentro de si: a de "ser sempre boazinha". O Ho'oponopono a ajudou a apagar esse valor limitador. Foi então que ela finalmente começou a ser ela mesma. Passou a realmente sentir que estava viva, e os problemas afetivos dela se resolveram.

A maioria dos seus valores decorre daqueles cultivados pelos seus pais. Na maior parte do tempo, eles são até uma mistura dos valores do pai e dos da mãe, pois, claro, você sempre tenta agradar ao papai e à mamãe para obter o reconhecimento deles, e isso de maneira totalmente inconsciente. Porém, certos valores podem igualmente se desenvolver ao longo da vida, de acordo com as vivências e experiências de cada um.

▸ *As crenças* são informações não verificadas e, muitas vezes, não verificáveis que a pessoa considera, entretanto, como verídicas. Elas provêm, em sua maioria, da educação e, portanto, dos pais, da família, de entes queridos ou professores. Já outras se constroem ao longo da vida, conforme os êxitos, fracassos e situações encontradas.

As crenças são elementos com os quais o indivíduo compreende e modela a sua vida. Pode ser, por exemplo, a crença de que o mundo é perigoso, ou a crença de que nunca se deve manifestar suas emoções, ou a crença de que a gente não tem nenhum valor, ou a crença de que existe uma justiça divina, ou a crença na reencarnação etc. Uma crença muda a maneira de enxergar e compreender a vida. Assim, há muitos anos, uma música de Johnny Hallyday[7] entoava: *"Estou com um problema, acho mesmo que eu te amo"*. Essa mensagem se imprimiu na mente de muitos jovens: *"Eu te amo = problema"*, o que pode ter dado origem a crenças que são um pouco indesejáveis para construir uma vida amorosa!

As crenças podem adquirir muitos aspectos diferentes. Um dos mais conhecidos é a crença religiosa: o indivíduo não tem nenhuma prova da existência de um deus – ou de sua não existência –, mas tem fé, e esta fé muitas vezes é indestrutível. Basta constatar o número de mortos que há no mundo em nome

7 Famoso cantor francês [N.T.].

da religião. Isso mostra a que ponto as crenças podem ser poderosas.

Valores e crenças harmoniosos atraem situações benéficas para você e a sua evolução. Em compensação, medos, valores ou crenças deformadas atraem, na sua vida, acontecimentos que eles esperavam justamente poder evitar e que constituem situações muito desagradáveis para você.

Os medos, valores e crenças são, portanto, elementos subjetivos, presentes em você, que dirigem a sua vida e a sua sina. Eles condicionam também os seus pensamentos e, assim, pela lei da atração, atraem situações que lhes correspondem, isto é, situações com a mesma natureza que a deles.

Por isso, observando o problema ao contrário, quando você vive uma situação desagradável, isso significa que geralmente há por trás dela um medo, um valor ou uma crença inadequada (memória errada). Ao se conscientizar disso, você tem então a escolha entre conservá-la ou apagá-la. Você pode muito bem considerar que o seu valor "honestidade" é bom e que você deseja preservá-lo. Pode considerar que o medo que você sente do mundo ao seu redor é justificável e que para você é bom conservá-lo. Pode considerar que a crença de que você não tem valor algum é normal e que é bom mantê-la.

Os medos, valores e crenças são o que o Ho'oponopono chama de "memórias erradas".

É aqui que se situa o seu livre-arbítrio.

Entretanto, você também pode considerar que tudo isso consiste em filtros que distorcem a sua visão da vida e o seu raciocínio, que são freios e até mesmo obstáculos à sua evolução e à sua plena realização pessoal. Você também pode estar com vontade de fazer a situação desagradável desaparecer. Se for o caso, então decida apagar essas memórias que você julga estarem erradas ou serem perturbadoras para si mesmo, praticando o Ho'oponopono. Esse processo as eliminará, utilizando a energia do amor.

As situações conflituosas

O que alguém não quer saber sobre si mesmo acaba vindo de fora sob a forma de destino.
C.G. Jung

Os conflitos[8], isto é, as preocupações, contrariedades, problemas, desagrados e a ansiedade que você sente por si mesmo ou pelos outros são frequentes durante a vida – para não dizer obrigatórias. Eles se dão sempre em duas etapas:

► *A fase do conflito ativo*, isto é, o período durante o qual o problema ainda não encontrou a sua solução. Ele ainda está presente e não para de importunar a sua mente. Toda a sua atenção se vê focalizada nele – o que tende a fazer o problema crescer –, esquecendo, ao mesmo tempo, tudo o que está acontecendo ao seu redor... Essa obsessão não ajuda você nem um pouco a relativizar a chateação e muito menos a trazer uma solução. É assim que o conflito pode durar meses, anos e até mesmo uma vida inteira.

8 Não se deve entender a palavra "conflito" no sentido de "combate". Ela é utilizada aqui no sentido de "situação que causa problema". P. ex., um conflito com o seu cônjuge não significa necessariamente um desacordo com ele. Pode ser também se preocupar com o seu cônjuge por causa da sua saúde, dos seus problemas de trabalho ou de outra coisa.

Nessa situação, convém, antes de tudo, tomar distância com relação a ele, por exemplo espairecendo (férias, lazeres, passeios...), mas também se conscientizando de que é você, e somente você, o criador da situação em questão e que ela é o resultado de uma das suas memórias erradas, as quais o Ho'oponopono ajudará a apagar eficientemente, se você assim desejar. Basta *você* mudar para a *situação* mudar. Você não precisa mais esperar uma mudança nos outros. Você não é mais vítima. Você é verdadeiramente dono da sua vida.

► *A fase de resolução do conflito* constitui a segunda etapa. A pessoa encontrou dentro de si – ou graças ao Ho'oponopono – as forças necessárias para superar ou encontrar uma solução para o problema. Vem então a fase de convalescença e recuperação, que muitas vezes é acompanhada de cansaço e infecções passageiras.

Porém, certos conflitos resolvidos podem deixar sequelas psicológicas, assim como certas doenças no plano físico trazem consequências. Tais sequelas podem até mesmo programar novas crenças, novos medos ou novos valores, dos quais alguns podem ser, mais uma vez, perturbadores e fonte de memórias erradas... por exemplo, uma demissão por razões econômicas pode acabar sendo aceita pela pessoa, mas fragilizá-la e levá-la a uma desvalorização de si mesma ou a um medo constante de ser novamente demitida de seu futuro emprego. Aqui também, o Ho'oponopono pode ajudar a superar esses sentimentos perturbadores.

Assim, durante um conflito, o Ho'oponopono pode interferir para favorecer a sua liberação, apagando a memória errada, causadora do problema, mas também apagando as memórias erradas que possam ter sido criadas após o problema. São as consequências do acontecimento. Poderíamos dizer que são *memórias erradas oriundas de memórias erradas*! Isso mostra como as situações acabam se complicando e se embaralhando com o tempo.

> Por exemplo, uma pessoa foi demitida várias vezes por causa da crença (memória errada) "de que ela não tinha valor algum". As demissões repetitivas geram nela novas memórias erradas, tais como o "medo de uma nova demissão", o "medo de lhe faltar dinheiro" ou até mesmo a crença de que "o mundo é mau" etc. Assim, novas memórias erradas se constituem após acontecimentos provocados por uma antiga memória errada. Isso pode dar origem a encadeamentos infinitos.

É por isso que, quando surge um acontecimento desagradável, com frequência é preciso realizar o Ho'oponopono várias vezes para obter o apagamento de *todas* as memórias que estavam associadas a ele. O Dr. Len, em sua sala, fazia o Ho'oponopono todos os dias nos registros de seus pacientes. Foi preciso esperar vários meses para que os primeiros resultados fossem sentidos através da melhora deles.

Por trás de uma situação difícil, podem se esconder muitas memórias erradas. É somente quando todas essas memórias tiverem sido apagadas que a situação vivenciada melhorará.

O ciclo dos conflitos

Não procure mudar o mundo, mas escolha mudar de ideia a respeito do mundo.
Jeshua. *Um curso em milagres.*

Você talvez tenha notado que as situações desagradáveis que ocorrem na sua vida têm uma chata tendência a se repetirem, como, por exemplo, demissões em série, rupturas sentimentais repetitivas, falta de dinheiro, fracassos nos estudos... Isso pode lhe dar a impressão de que a vida está pegando no seu pé. Na verdade, não é nada disso. A causa não vem do fato de que o Universo teria más intenções contra você, mas sim de certos medos, crenças ou valores que você tem dentro de si e que perturbam os seus pensamentos, chamando – como resultado – situações desagradáveis relacionadas a eles. Pois bem, como você permanece sempre com os mesmos pensamentos negativos, você sempre atrai as mesmas situações conflituosas. É lógico!

Assim, longe de surgir do nada, um conflito geralmente tem precedentes, ou seja, você já viveu, no passado, conflitos do mesmo gênero, que você negligenciou e, portanto, não resolveu. Como a memória errada não foi apagada, ela ainda está ativa e continua atraindo novas situações idênticas, o que induz um "ciclo de conflitos".

O ciclo pessoal dos conflitos

Esse mecanismo explica por que você recria sem parar o mesmo tipo de situação conflituosa. A sua memória errada começa geralmente produzindo na sua vida pequenos desagrados, tais como contrariedades, chateações ou pequenos fracassos. Estes últimos logo são esquecidos e, muitas vezes, você deixa para lá e não busca a origem deles. A memória errada fica, portanto, vivaz na sua mente. Algum tempo depois, ela se manifesta de novo e produz uma nova situação do mesmo gênero, porém com frequência mais desagradável do que a anterior... se for negligenciada novamente, ela se atenuará com o tempo, e o problema desaparecerá mais uma vez. Já a memória continuará ali. Mais tarde, ela engendrará novos conflitos, que serão cada vez mais intensos do que os precedentes. Negligenciados, com os anos, eles se tornarão cada vez mais violentos e cada vez mais poderosos, até deflagrarem situações dramáticas, tais como divórcios, acidentes, doenças graves ou lutos.

A solução consiste, obviamente, em se conscientizar de que os conflitos repetitivos provêm de uma memória errada que está dentro de você e que convém apagar, se você deseja acabar com os conflitos repetitivos.

Assim, uma moça se casou duas vezes e se divorciou duas vezes pela mesma razão: o marido batia nela. Após o segundo divórcio, ela passou a sair com um rapaz que também se pôs a agredi-la fisicamente um tempo mais tarde. Sentindo repulsa pela comunidade masculina, ela foi morar sozinha com o filho... que, por sua vez, passou a bater nela! Essa mulher precisava entender que todas aquelas situações haviam sido geradas por uma memória errada que ela tinha dentro de si e que era necessário apagar, se ela quisesse que esse tipo de situação nunca mais se repetisse (o que, claro, não justifica nem um pouco a atitude daqueles homens).

Você também pode considerar que, se um apagamento tivesse sido realizado desde os primeiros acontecimentos desagradáveis, em vez de esperar o drama, isso lhe teria evitado muitos transtornos. Por isso, é importante que você pratique o Ho'oponopono diante de todos os aborrecimentos que ocorrerem na sua vida: uma simples mágoa, uma contrariedade, a evocação de uma lembrança ruim, uma tristeza, um pensamento irritante, uma má notícia... O apagamento da memória evita que ela volte um pouco mais tarde de maneira mais desagradável e violenta.

Os conflitos frequentemente voltam de forma cíclica, com uma periodicidade diferente, de acordo com as situações e as pessoas. Toda vez, embora a situação seja distinta, os conflitos ainda são de mesma natureza, porém cada vez mais violentos do que os anteriores... como se quisessem obrigar a pessoa a se conscientizar de que ela tem dentro de si uma memória errada.

A origem do primeiro conflito

O primeiro conflito de um ciclo pode provir de qualquer momento da vida de uma pessoa. Na maioria dos casos, ele começa na infância e até mesmo na mais tenra infância. É assim que vemos crianças que apanham frequentemente dos coleguinhas ou com baixo desempenho escolar ou, ao contrário, geradoras de violência.

Entretanto, a origem do primeiro conflito pode ser bem mais antiga e se situar, por exemplo, no dia do parto ou antes, durante a vida intrauterina. Esse tipo de conflito é muito mais frequente do que se pensa.

► Durante a gravidez *(in utero)*, a criança sente tudo o que a mãe vivencia: os problemas do casal, violências físicas ou psíquicas, medos, tristezas, riscos de aborto espontâneo... O feto registra tudo. Além disso, quando da descoberta da gravidez, certos casais se perguntam se vão ter ou não a criança[9].

9 Na França, o aborto é legalizado até a 12ª semana de gravidez [N.T.].

Isso constitui um trauma terrível para ela, que será gerador de medos. Também há muitas crianças que não são desejadas pelo pai ou pela mãe, o que também dá origem a medos, crenças ou valores perturbadores.

► O parto, além de seu aspecto traumatizante fisicamente, tanto para a mãe quanto para o bebê, constitui o primeiro conflito de separação para o recém-nascido, separação de sua mãe, que era tudo para ele durante a gravidez. Isso porque, durante esse período, ela lhe assegurava amor, alimento, calor e proteção. Mais tarde, ao longo da vida, esse conflito de separação se repete com frequência: separação para ir à creche ou à escola, para ir trabalhar, para se casar, para se divorciar, para se mudar...

Assim, os primeiros conflitos e, portanto, as primeiras memórias erradas podem provir da vida intrauterina ou do dia do parto. Tais situações seriam, inclusive, muito comuns.

Porém, a origem do ciclo de conflitos pode se situar ainda mais longe no passado. Vejamos isso no parágrafo seguinte.

O ciclo familiar de conflitos

Certos estudiosos, tais como Anne Ancelin Schützenberger[10] ou Paola Del Castillo[11], encontraram uma origem familiar para muitos conflitos. Foi assim que nasceu o que hoje é chamado de psicogenealogia[12]. É verdade que as situações com frequência se

---

10 Cf., p. ex., *Exercices pratiques de psychogénéalogie pour découvrir ses secrets de famille*. Paris: Payot & Rivages, 2011.

11 *La psicogenealogía aplicada*. Barcelona: Obelisco, 2013.

12 Definição da Wikipédia: "Teoria lançada pela Profa. Anne Ancelin Schützenberger, da Universidade de Nice, segundo a qual os acontecimentos, traumas, segredos, conflitos... vividos pelos ascendentes de um sujeito condicionariam os transtornos psicológicos, as doenças e os comportamentos estranhos ou inexplicáveis deste último".

repetem de geração em geração: câncer de mama, divórcio com a mesma idade, falência... o que nos leva a pensar que memórias erradas são transmitidas de pai para filho e de mãe para filha.

Vários elementos podem sustentar – e até mesmo explicar – a tese do ciclo familiar de conflitos. Há, em primeiro lugar, a hereditariedade, que provém dos seus pais e, claro, através deles, dos seus antepassados. Porém, também não se deve esquecer a educação dada pelos pais, que transmitem assim à criança, como já vimos, seus medos, valores e crenças... e, portanto, suas memórias erradas. Logo, os aspectos inatos, obtidos pela hereditariedade familiar, e os adquiridos, realizados pela educação dada pelos pais, já podem explicar, em grande parte, a ocorrência de situações idênticas com os filhos e seus pais ou avós.

Falaremos mais adiante da epigenética[13], que constitui uma nova descoberta no campo da genética e mostra que a expressão dos genes é influenciada pelo modo de vida e pelos acontecimentos que ocorrem na vida. Assim, o que os seus antepassados viveram modificou os genes deles. E tais modificações foram, em seguida, transmitidas às gerações seguintes. Este fenômeno epigenético permite compreender a importância da genética nos ciclos familiares de conflitos.

Se tomarmos o exemplo de um câncer de mama descoberto em uma mãe e depois na filha algumas décadas mais tarde, é possível apontar várias explicações para esse fenômeno:

- a presença de genes cancerígenos, que foram transmitidos de mãe para filha, tais como os genes hereditários BRCA1 e BRCA2;
- hábitos de vida idênticos, ensinados pelos pais aos filhos desde a infância: alimentação, álcool, tabaco, atividades esportivas e outros;

13 Ramo da genética que se interessa pela influência do mundo exterior e da experiência vivida das pessoas na expressão dos genes.

- uma maneira de pensar idêntica, inculcada igualmente desde a infância: isso é bom, isso é mau, "você é boazinha", "você é burra" etc., que são fonte de medos, valores e crenças. Trata-se aqui de uma espécie de "filtro familiar", através do qual a criança enxergará o mundo pela vida inteira;
- o mimetismo dos filhos com relação aos pais. Isso se vê, na idade adulta, através de profissões idênticas e atitudes idênticas: pai e filho alcoólatras, mãe e filha divorciadas com a mesma idade etc. A criança, tendo-se tornado um adulto, recria inconscientemente as mesmas situações vividas pelos seus pais (muitas vezes com a mesma idade), tanto as boas quanto as ruins.

Em definitivo, não é fácil afirmar a razão exata pela qual a moça sofre o mesmo tipo de câncer que a mãe. Seja como for, o problema de fato passou de uma geração para a outra.

Um outro exemplo nos é fornecido por Luíza, que não havia encontrado o homem de sua vida. A moça decidiu, mesmo assim, ter um filho. Por isso, escolheu um "genitor", do qual teve um filho, que ela criou sozinha. Alguns anos mais tarde, ao retraçar sua árvore genealógica, ela percebeu, com espanto, que tinha uma tia-avó, também chamada Luíza, que havia sido mãe solteira. Depois, descobriu o mesmo fenômeno mais longe no passado: dentre os seus ancestrais, uma outra mulher também havia sido mãe solteira. Assim, àquela família pertenciam três mulheres (das quais duas com o mesmo nome) que haviam criado filhos sozinhas. É difícil, neste caso, falar de coincidência!

Segundo a psicogenealogia, seriam sobretudo *as últimas sete gerações* que influenciariam a hereditariedade de um indivíduo e que, portanto, poderiam transmitir memórias erradas aos descendentes. Quanto às gerações mais antigas, as memórias seriam apagadas, como que diluídas pelos séculos. Isso parece lógico, senão seria preciso voltar no tempo até

Adão e Eva. Apesar de certas pessoas ainda quererem que nós carreguemos o fardo do "erro" de Adão e Eva no Paraíso!

Dentre as sete gerações que influenciam os indivíduos, parece que é a dos avós que predomina, talvez até mais do que a dos pais.

Existiria frequentemente uma espécie de "contrato familiar" realizado no inconsciente da família, contrato este que daria um lugar especial ou uma missão especial à criança que acaba de nascer, como, por exemplo, cuidar dos irmãos ou criar laços entre todos os membros da família ou ainda cuidar dos pais ou dos avós. Um outro exemplo nos é fornecido por Salomon Sellam, que descreve *A Síndrome do Jacente*[14]. Ele explica em seu livro que muitos filhos se veem encarregados, pelo contrato familiar, de substituir um membro da família que acabou de desaparecer (um tio morto na guerra, um irmão falecido em um acidente...). A própria escolha do nome do recém-nascido predispõe a essa substituição: Jacinta (jacente, que jaz), Renato (re-nato, re-nascido)...[15] A criança que vem ao mundo, quanto a ela, não foi informada desse fardo que lhe foi imposto de forma mais ou menos inconsciente pela família. Por isso, ela se submeterá a tal contrato com dificuldade e de má vontade. Entretanto, no dia em que ela tomar consciência desse peso que a família lhe impôs, sua vida se iluminará, e as cores finalmente aparecerão, enquanto até então tudo não passava de escuridão e morte!

Aliás, é surpreendente constatar que, com frequência, o simples fato de descobrir uma origem familiar para um conflito – que muitas vezes é um segredo de família, mas também uma memória errada familiar – basta para compreendê-lo e lhe trazer uma solução. Tal descoberta age, de certa forma, como

---

14 Livro de Salomon Sellam: *Le syndrome du Gisant* – Un subtil enfant de remplacement. Montreuil-Bonnin: Bérangel, 2004.

15 Em francês, os nomes originais eram "Gisèle (gît-s-elle)", que remete a "jaz ela", e "René (re-naît)", que lembra "renascer".

uma verdadeira revelação. É como se a pessoa conhecesse, desde sempre, a resposta para o problema, mas se recusasse a enxergá-la. Por isso, quando a causa familiar é trazida à luz, quando ela é verbalizada, a pessoa sente imediatamente em seu foro íntimo que é a verdade, e tudo se torna possível. Ela passa a desejar então apenas uma coisa: ser liberada daquele contrato, isto é, ser liberada daquela memória errada familiar. Ela está, de certa forma, praticando o Ho'oponopono sem nem saber!

> *O Ho'oponopono também poderá ajudá-la a apagar essa memória, pois, mesmo que esta última pareça ter sido realizada pela família, não deixa de ser verdade que a pessoa continua sendo, mesmo assim, criadora dessa situação.*

Assim, os conflitos, situações e problemas tendem a se repetirem de geração em geração. Eles se repetirão muitas e muitas vezes, até que finalmente um elo daquela corrente familiar traga uma solução para o conflito – a memória errada –, quebrando, desse modo, o ciclo infernal. Isso libera os antepassados daquele fardo e, ao mesmo tempo, dispensa os filhos de terem de enfrentar por si próprios esse tipo de problema!

O ciclo das vidas passadas e o carma

Ainda mais longe no passado, é possível encontrar a origem do ciclo de um conflito nas vidas passadas, para aqueles que acreditam em reencarnação – e é preciso lembrar que eles são amplamente majoritários neste planeta. Além disso, a reencarnação teria sido proscrita da fé cristã pelo Segundo Concílio Ecumênico de Constantinopla em 553, ao mesmo tempo em que o cristianismo condenou Orígenes e o origenismo[16]. Aliás,

16 Doutrina muito difundida, naquela época, de Atenas a Alexandria, e que professava a reencarnação. A decisão de condenar o origenismo teria sido tomada pelo Imperador Justiniano, e não pelo Papa Vigílio.

para a bióloga e física Jacqueline Bousquet[17], a realidade da reencarnação seria até mesmo comprovada matematicamente!

Muitos pesquisadores – dentre os quais o famoso Patrick Drouot[18] – já fizeram com que determinados indivíduos voltassem às suas vidas passadas, através de técnicas que se assemelhavam à hipnose. Os resultados foram impressionantes, como, por exemplo, para determinada pessoa, que descobriu que a origem de sua asma provinha de sua morte em uma câmara de gás em uma vida passada. Uma outra compreendeu que as dores crônicas que ela sentia no peito eram oriundas da facada que ela havia levado em uma vida passada e que havia causado a sua morte.

Da mesma maneira, os problemas que você enfrenta na sua vida atual podem ser a consequência da sua conduta em uma outra vida. É o que se denomina "carga cármica". Assim, se você tiver sido odiável com os pobres e os indigentes em uma vida, vai se tornar um deles na vida seguinte. Se tiver sido infiel com a sua esposa em uma vida, você será a mulher ou o marido traído na vida seguinte!

Assim, uma carga cármica pode ter dado origem a uma memória errada na sua vida presente, que será fonte de situações desagradáveis. Você se deparará com ela de vida em vida, até finalmente lhe trazer uma solução ou apagá-la. Obrigado, Ho'oponopono.

Esses exemplos, claro, estão bem simplificados. Na realidade, com frequência a coisa é muito mais sutil. Porém, eles demonstram a lei do "carma", isto é, a lei da causa e sua consequência. Toda ação nesta vida terá consequências no seu carma e, portanto, nas situações vivenciadas nas suas vidas futuras. Ao entender a lei cármica, o ensinamento *"Não faça com os*

17 Cf. www.arsitra.org

18 DROUOT, P. *Nós somos todos imortais.* Rio de Janeiro: Nova Era, 1996.

outros o que você não gostaria que fizessem com você" faz todo o sentido e constitui, na verdade, um conselho bem egoísta. É porque este conselho consiste na melhor maneira de preservar o seu (bom) carma e, portanto, o seu futuro na sua próxima encarnação.

Você é o único criador

A origem dos conflitos repetitivos pode se situar no passado da sua vida presente, nas suas vidas passadas e até mesmo nas vidas dos seus ancestrais. Porém, na verdade, pouco importa a origem do problema. Não é indispensável conhecê-la com o Ho'oponopono.

De qualquer forma, é você, e somente você, o criador de tudo o que acontece na sua vida. Foi somente você que escolheu a família na qual você nasceu, que corresponde exatamente ao seu carma, que vai lhe permitir responder à pergunta que você se faz, que vai gerar o conflito que você não soube resolver na sua vida passada. Somente você é o criador dessa situação, mais uma vez. Só lhe resta resolvê-la para apagar a carga cármica correspondente e continuar a sua evolução.

Você escolheu para si mesmo – sozinho – o lugar ideal para criar o conflito.

Para que servem os conflitos?

Uma situação é "conflituosa" porque afeta um dos seus pontos nevrálgicos, ou seja, uma das suas fraquezas. Por exemplo, se você tem uma antipatia, sem razão aparente, por uma pessoa, isso vem do fato de que ela representa para você, inconscientemente, um aspecto de si mesmo que você rejeita ou de que você não gosta.

O conflito, situação desagradável ou problema ocorre para lhe mostrar a existência de tal aspecto da sua personalidade que você não quer ver. Se você não o resolver, a vida vai lhe impor regularmente – ciclicamente –, e de modo cada vez mais forte, o mesmo conflito, até que você finalmente aceite prestar atenção nele... nesta vida ou na próxima.

Em definitivo, o conflito está aí para obrigar você a trabalhar nessa parte de si mesmo de que você não gosta. A solução ou o apagamento vai permitir eliminar um bloqueio que o estava impedindo de evoluir. Assim, quando você resolve um problema ou conflito psicológico, sai dele mudado e até mesmo transformado. A sua evolução pessoal pode então recomeçar.

É o aspecto admirável do Ho'oponopono: solucionar os conflitos simplesmente aceitando que eles vêm de você – seja de onde for – e que, ao apagá-los e ao mudar a si mesmo, isso os faz desaparecerem definitivamente.

A memória dos acontecimentos

Conhecer não é demonstrar, nem explicar. É aceder à visão.
Antoine de Saint-Exupéry

Você vive todos os dias muitas experiências. Milhões de informações chegam cotidianamente ao seu cérebro. Ele precisa fazer uma seleção do que vai guardar na memória e do que vai apagar. É, pelo menos, o que a medicina convencional considera.

Durante o sono, o cérebro efetua uma memorização, fazendo uma seleção das lembranças que ele vai conservar e eliminando as outras. Pois bem, durante esse período de repouso, o seu organismo não tem mais de gastar energia para as suas atividades do jeito que ele gasta durante o dia: caminhada, digestão, concentração, movimentos... Ele pode então concentrar toda a sua energia para restaurar o corpo e gerenciar as lembranças.

Os ciclos do sono

Uma noite de sono é constituída de quatro a seis ciclos, cada um composto por quatro fases:

- **Sono leve ou vigília relaxada, constituído de ondas alfa (de 8 a 13 Hz).**
- **Sono lento leve, caracterizado por ondas teta (de 4 a 7 Hz), fase durante a qual a pessoa que está dormindo perde contato com o ambiente ao redor.**
- **Sono lento profundo, caracterizado por ondas delta muito lentas (de 0,5 a 4 Hz). É o período mais profundo do sono. Essa fase contribui para a gestão das informações, que, em seguida, serão tratadas durante o sono paradoxal.**
- **Sono paradoxal, caracterizado por ondas teta e depois alfa. Os sonhos são intensos e comportam cerca de 65-70% de resíduos do dia anterior e 30-35% dos dois dias precedentes. Trata-se de uma etapa importante da memória de longo prazo, da gestão das emoções e do equilíbrio psíquico.**

O sono permite ao cérebro consolidar os aprendizados e integrar as informações na memória de longo prazo. Somente as informações relevantes, úteis ou importantes são conservadas, enquanto as outras são eliminadas para dar lugar às que vão chegar no dia seguinte. Essa é a versão reconhecida oficialmente pela medicina. Porém, podemos duvidar de sua completa veracidade.

As experiências de sofrologia das quais eu participei, no Centro de Orientação Comportamental e Psicológica de Paris, nos anos de 1980, mostraram-me que todos os acontecimentos da vida ficam conservados na memória humana.

Assim, um homem de 60 anos era perfeitamente capaz de se lembrar, com grande exatidão, de como ele estava vestido no dia em que deu seus primeiros passos, do que ele havia comido no café da manhã, do que ele havia feito durante aquele dia etc. É bastante impressionante constatar a capacidade fenomenal da nossa memória, quando a mente e a consciência entram em curto-circuito, como durante uma sessão de sofrologia. Nos estados modificados de consciência provocados por esta última, pode-se observar que a pessoa guardou todas as informações de sua vida, desde as mais ínfimas e insignificantes até as mais traumatizantes.

Portanto, a memória "total" está lá, presente – não necessariamente no seu cérebro –, mas você não tem acesso direto a ela, ao contrário da memória comum, que lhe serve no dia a dia. Você não tem mais acesso, por exemplo, às aulas de História que decorou quando estava no primário. No entanto, elas ainda estão ali, em algum lugar, gravadas na sua memória.

Diante da capacidade extraordinária da memória, constatada nos estados sofrônicos, é lógico pensar em todos aqueles pequenos aborrecimentos, todos aqueles pequenos rancores e todas aquelas pequenas frustrações que você vivenciou, das quais você não se lembra mais conscientemente e que, entretanto, ainda estão presentes nos confins da sua memória, podendo ser fonte de memórias erradas... que devem ser apagadas.

Psicologia e Ho'oponopono

Você precisa viver como pensa,
senão acabará pensando como vive.
Paul Bourget

A psicologia se interessa muito pelo funcionamento dos fenômenos psíquicos do ser humano, isto é, pela vida mental deste último. As explorações que ela já efetuou a incitaram a distinguir, no psiquismo humano, uma consciência que permite a você compreender a sua existência e o mundo exterior, bem como um inconsciente, que representa a face oculta do seu psiquismo, a parte submersa do *iceberg*. Pois bem, todos os indivíduos acreditam que é a consciência deles que efetua as escolhas, toma as decisões e organiza a vida. Enquanto, na verdade, segundo os psicólogos, todos nós somos dotados de uma consciência e de um inconsciente, mas quem nos dirige não é aquele que normalmente pensamos!

Vejamos agora como o psiquismo lida com um acontecimento traumatizante que ocorre na sua vida. A lembrança do trauma vai, em um primeiro momento, assombrar a sua mente até você o digerir, aceitar ou encontrar uma solução para ele. Porém, se nenhuma solução for encontrada ou se o choque emocional for demasiado doloroso e/ou se ele persistir durante muito tempo, o psiquismo vai procurar aliviar a tensão psíquica, deslocando o conflito da consciência para o esquecimento, isto é, para o inconsciente. Nesse mecanismo automático, o inconveniente é que o conflito nem sempre é resolvido através disso. Ele permanece ativo e continua gerando ansiedade em você. O problema, então, é que você se sente angustiado, mas não sabe mais por que: óbvio, visto que o conflito se encontra agora no seu inconsciente.

Entenda que não é a sua consciência que pilota, mas sim o seu inconsciente, a sua face oculta.

Assim, mesmo que você não esteja mais ciente e não se lembre mais dele, o conflito continua criando em você estresse, angústia ou depressão. E também continua atraindo novas situações desagradáveis do mesmo tipo.

Pois bem, o inconsciente é muito poderoso. Lembre-se: todas as suas decisões são fruto de motivações inconscientes. Você acha mesmo que escolheu tal trabalho porque ele era melhor para você, em termos financeiros ou de evolução profissional? Nada disso! Essas razões foram aquelas apresentadas pela sua consciência para enganá-lo. A verdadeira razão é, por exemplo, que você o escolheu para agradar aos seus pais e, desse modo, obter reconhecimento por parte deles ou, ao contrário, para sabotar melhor a sua carreira, pois uma crença inconsciente lhe diz que você não tem valor nenhum. Tais processos são totalmente inconscientes. Eles são oriundos dos seus antigos conflitos não resolvidos, das suas crenças e dos seus medos, que estão presentes no seu inconsciente e se tornaram, todos eles, “memórias”, isto é, programas que dirigem você. Boas memórias ajudam a sua evolução (o que é raramente o caso em situações conflituosas), más memórias geram novas situações desagradáveis.

Assim, a psicologia explica perfeitamente que os seus conflitos, bem como as emoções associadas a eles, quando não são resolvidos, acabam passando para o seu inconsciente – tornando-se, dessa forma, memórias erradas que continuam dirigindo a sua vida, influenciando diretamente as suas decisões e ações.

É por isso que é importante agradecer aos acontecimentos desagradáveis por terem-se manifestado na sua vida. Eles lhe mostram a existência das memórias erradas que você tem no seu inconsciente – e que você não conhecia – e que o dirigem sem você saber. A identificação das memórias erradas, através do acontecimento desagradável, permite que você peça o apagamento delas, liberando-se, ao mesmo tempo, da presença tirânica que elas exercem no seu inconsciente. Em outros termos, a psicologia demonstra que as memórias erradas que são responsáveis por situações chatas na sua vida provêm do seu inconsciente. É por isso que você não sabia que as tinha. Foi preciso ocorrer acontecimentos desagradáveis para que você tomasse consciência da existência delas. Só lhe falta praticar o Ho’oponopono!

Atenção!

É evidente que, em situações graves ou em caso de transtorno psicológico intenso, o Ho'oponopono não substitui as técnicas existentes – que consistem na psiquiatria, psicologia ou psicanálise –, mas sim as complementa. O Ho'oponopono é um estilo de vida, uma ferramenta de evolução, e não um tratamento.

Os sonhos

Para Freud, os sonhos são fruto do seu inconsciente. São as manifestações das suas pulsões e dos seus desejos inconscientes. Eles expressam o que você guarda escondido dentro de si, consciente ou inconscientemente. São uma espécie de desabafo ou válvula de escape que permite liberar as tensões fortes demais que estavam presentes no seu inconsciente, a fim de manter a sua consciência em equilíbrio. A evocação de uma lembrança durante um sonho geralmente indica que está na hora de ela ser solucionada. É por isso que os sonhos são uma outra maneira de compreender as memórias erradas enterradas no fundo de si mesmo. Portanto, é interessante praticar o Ho'oponopono nas lembranças que se sobressaem durante as suas atividades oníricas.

Epigenética e Ho'oponopono

Só há uma maneira de fracassar:
desistir antes de tentar.
Olivier Lockert

Desde sempre, a medicina convencional considera que os genes dos indivíduos são adquiridos de uma vez por todas durante a concepção e que eles permanecem imutáveis até a morte. Somente mutações – produzidas acidentalmente por radiações ou poluentes –, na maior parte do tempo nocivas e até mesmo cancerígenas, são capazes de modificar o genoma.

Porém, as descobertas da epigenética[19] nos obrigam a mudar de ponto de vista. Elas mostram que o seu ambiente e os acontecimentos que ocorrem ao longo da sua vida podem alterar a expressão dos seus genes.

Tudo começou em 1942, quando o biólogo Conrad Waddington[20] mencionou fenômenos epigenéticos para explicar as implicações do ambiente nos genes e no fenótipo[21] de um ser humano. No entanto, foi preciso esperar os últimos vinte anos para que a epigenética finalmente entrasse – de forma bastante tímida – no campo da pesquisa moderna. Contudo, ela revoluciona completamente o pensamento da medicina e pode conduzir a compreensões inovadoras a respeito da gênese das doenças, bem como a novas vias terapêuticas.

As primeiras observações em epigenética foram efetuadas por pesquisadores escandinavos. Elas revelaram que o estresse, a poluição[22] (inclusive *in utero*[23]), a má alimentação[24], os períodos de fome, o tabagismo e até mesmo as fecundações *in vitro* (FIV)[25] podem modificar os genes dos indivíduos. As pesquisas também apontaram que tais alterações eram transmissíveis[26] aos filhos e netos... sendo, portanto, hereditárias.

É preciso entender que essas modificações não "mudam" os genes, ou seja, elas não tiram um gene para substituir por outro. Não se trata disso. As alterações envolvem simplesmente a expressão dos genes. Isso significa que elas os abrem ou fecham, de acordo com as circunstâncias, com todos os inter-

19 Cf. nota 13, p. 51

20 Conrad Hal Waddington (1905-1975), biólogo, paleontólogo e geneticista.

21 Fenótipo: conjunto das características observáveis de um indivíduo.

22 *Quotidien du Médecin*, 16/06/2008.

23 *Quotidien du Médecin*, 16/02/2009.

24 *Sciences et Avenir*, 28/10/2008.

25 *Médecine de la Reproduction*, vol. 8, n. 3, mai.-jun./2006.

26 *Sciences et Avenir*, 28/10/2008.

mediários possíveis entre ambos os extremos. É assim que um gene inativo pode se tornar ativo e vice-versa. Portanto, não se trata de mutações, mas sim de modificações dos genes sem alteração do DNA.

O DNA humano é constituído de 30% a 35% de genes codificados "que se expressam" e de 65% a 70% de genes ditos "silenciosos", que compõem a parte intrônica[27] dele. Pois bem, a epigenética é capaz de fechar genes codificados para abrir genes até então silenciosos, permitindo, assim, a expressão destes últimos. Isso indica que o seu campo é vasto, tendo em vista a grande parte de genes não expressos presentes no DNA.

Para "desativar" um gene, basta que um grupo de metil (CH_3) seja colocado no lugar de um átomo de hidrogênio (H) em uma base de azoto do gene. A sequência de DNA fica então muda e não pode mais fabricar proteínas efetoras. Ora, são estas últimas que produzem a ação do gene.

Nos últimos anos, foram realizados muitos estudos fascinantes sobre os fenômenos epigenéticos. Eles permitiram, por exemplo, demonstrar que o modo de vida dos avós influenciava a esperança de vida dos netos. Um outro estudo, efetuado com 600 pessoas[28], revelou que as modificações epigenéticas eram muito mais frequentes do que se pensava antes. De fato, no grupo em questão, cerca de um terço das pessoas já apresentava modificações notáveis em seu genoma, em simplesmente dez anos de vida.

As últimas pesquisas nessa área estabeleceram que um certo número de doenças tinha origem (em parte) em fenômenos epigenéticos. São elas, principalmente, o câncer[29], a obesidade[30],

---

27 Intron: parte de gene não codificada.

28 *Sciences et Avenir*, 27/06/2008.

29 *Centre National de la Recherche Scientifique*, 29/11/2006.

30 *Revue Médicale Suisse*, 28/02/2007.

o diabetes de tipo 2[31], as alergias[32], a asma, o autismo, a esquizofrenia e a doença de Alzheimer. É quase certo que, no futuro, muitas outras doenças se acrescentarão a essa lista não exaustiva.

> *Portanto, a epigenética não é um fenômeno marginal, mas sim um processo bastante frequente. Ela poderia muito bem explicar, por exemplo, o aumento das doenças com a idade, tais como câncer ou Alzheimer.*

Um outro estudo, chamado Geminal (Gene Expression Modulation by Intervention with Nutrition And Lifestyle), publicado nos *Proceedings* da Academia Americana de Ciências[33], é fascinante pelas perspectivas inéditas que ele abre. De fato, o estudo se interessa pela evolução da expressão dos genes de homens afetados por câncer de próstata, após alterações em seus modos de vida e fora de qualquer tratamento, convencional ou não.

Foi assim que os pesquisadores começaram estudando o genoma de aproximadamente trinta voluntários que haviam recusado todos os tratamentos convencionais, mas que aceitaram participar daquele estudo. Todos eles apresentavam uma taxa de PSA[34] inferior a 10ng/ml e um escore de Gleason[35] igual a 6 a partir das biópsias.

O protocolo que eles seguiram durante três meses consistia em:

- modificação da alimentação, que devia ser pobre em lipídios e rica em alimentos integrais, além de frutas e verduras;

---

31 *Quotidien du Médecin*, 16/06/2008.

32 *Quotidien du Médecin*, 16/06/2008.

33 *Quotidien du Médecin*, 20/06/2008. • *Proceedings of the National Academy of Sciences*, vol. 105, n. 24, p. 8.369-8.374.

34 PSA: Prostatic Specific Antigen: marcador sanguíneo do câncer de próstata.

35 Escore de Gleason: indicador da agressividade de um câncer, que vai de 2 a 10, sendo que 10 corresponde aos cânceres mais agressivos e mais evolutivos.

• suplemento de soja, selênio, óleo de peixe e vitaminas C e E;
• gestão do estresse através de ioga, alongamento ou relaxamento, durante uma hora por dia;
• caminhada durante trinta minutos por dia;
• grupo de apoio uma vez por semana.

Após esse período, novas biópsias tumorais com estudo do genoma foram realizadas. Elas apontaram muitas modificações genômicas favoráveis, em especial a sub-regulação (diminuição da expressão) de certos genes cancerígenos, tais como os oncogenes da família RAS (RAN, RAB14 e RAB8A) e o gene SHOC2, que favorece a ativação dos androgenes e da divisão celular. Os genes ativadores do fator de crescimento (IGF) também foram sub-regulados. Além disso, os PSA livres (marcadores prostáticos) estavam melhores nos trinta participantes.

Assim, uma mudança de hábitos no modo de vida pode alterar a expressão de genes cancerígenos em simplesmente três meses... o que vai contribuir imensamente para a cura dessa terrível doença, como complemento, claro, dos tratamentos convencionais.

Esse estudo confirma também que o psiquismo – através da gestão do estresse e da expressão verbal dos conflitos, que estão incluídos no protocolo – interfere de modo notável nos processos epigenéticos. Essa noção já havia sido observada pelos primeiros pesquisadores, que haviam notado que as vivências pessoais dos indivíduos[36] eram capazes de produzir modificações no DNA deles. Isso significa, portanto, que o seu pensamento e as suas emoções podem interferir na expressão dos seus genes.

36 *Sciences et Avenir*, 27/06/2008. • *Sciences et Avenir*, 28/10/2008.

Isso corresponde às experiências feitas por Wladimir Popenon[37] em 1990 e, depois, do Instituto Heart Math (Califórnia), que são totalmente revolucionárias. Elas demonstraram que:

- O DNA reagia imediatamente às emoções do seu antigo hospedeiro[38], mesmo que este último estivesse várias centenas de quilômetros afastado dali. As vibrações emitidas pelo DNA aumentavam ou diminuíam de acordo com os sentimentos experimentados, e nem a distância, nem o tempo tinham influência alguma sobre este fenômeno.
- A estrutura do DNA se modificava em função das emoções do seu antigo hospedeiro. Suas espirais tinham tendência a se distender com pensamentos de amor e se contrair com pensamentos agressivos.
- O DNA do corpo exercia influência direta na matéria e, portanto, no mundo. Isso foi demonstrado, em especial, através da sua ação nos fótons, que são partículas de luz. Elas se ordenavam em presença do DNA e, coisa admirável, permaneciam ordenadas mesmo quando o DNA era retirado.

A estrutura do DNA poderia ser comparada à da linguagem, na qual as moléculas seriam como as letras de um alfabeto[39]. Além disso, ela parece poder ser facilmente reprogramada com o auxílio de palavras ou vibrações (sons, pedras, luzes, radiações...).

---

37 Físico russo cujas ideias foram difundidas por Gregg Braden em www.club.doctissimo.fr/webbot/alimentation-sante-environnement-297643/video/science-miracles-braden-12636303.html

38 *Nexus*, nov.-dez./2004, p. 44-45.

39 SAUVAGEOT, F. *Les yeux d'Uranie*. Instituto de Ciências da Comunicação do Centro Nacional de Pesquisa Científica da França – CNRS (Iscc).

Assim, as suas emoções e os seus pensamentos seriam capazes de mudar o seu DNA, que, por sua vez, agindo sobre a matéria, mudaria o seu universo. Esse mecanismo explica perfeitamente o funcionamento do Ho'oponopono: o apagamento de uma memória errada traz uma mudança nas suas emoções/pensamentos, o que suscita imediatamente alterações no seu DNA, que, na sequência, vai mudar o ambiente ao seu redor graças à ação que ele exerce na matéria.

Portanto, os processos epigenéticos permitem compreender melhor e até mesmo explicar, em parte, o processo de ação do Ho'oponopono.

As raízes xamanistas do Ho'oponopono

O novo está sempre dentro e nunca fora, tudo está dentro de você, e não fora de você.
Gitta Mallasz. *Diálogos com o anjo.*

O xamanismo

O xamanismo é praticado no nosso planeta há vários milênios. Alguns estudiosos afirmam que ele teria começado na Sibéria ou na Ásia Central. Porém, seu caráter onipresente no conjunto do nosso planeta põe isso em dúvida. Além disso, o xamanismo já foi amplamente utilizado na Europa. A maioria das cavernas pré-históricas consistia, antigamente, em locais de cerimônia, nos quais viagens xamanistas eram regularmente realizadas. Os druidas foram, na época deles, grandes xamãs. Na Grécia, Platão designava os xamãs como sacerdotes divinos que utilizavam técnicas que lhes permitiam sair do corpo.

De transmissão oral, o xamanismo desapareceu de certas regiões, mas ainda permanece vivaz no seio de alguns povos, como os mongóis, os ameríndios e os aborígenes da Austrália.

O xamanismo está muito ligado ao pensamento animista, que vê a presença de espíritos em todos os elementos da natureza, tais como as plantas, as rochas, o vento ou a chuva. Tudo seria animado por vida e, portanto, digno do maior respeito.

O xamã estabelece um vínculo entre o mundo dos homens e o dos espíritos. Ele viaja no mundo do invisível para buscar respostas às questões levantadas pela tribo (lugar de acampamento, território de caça...) ou por um membro da tribo (doença dificuldade de relacionamento, problema conjugal...).

As origens do Ho'oponopono

No princípio, o Ho'oponopono era um ritual utilizado pelas populações dos vilarejos situados nas ilhas do Havaí para resolver os problemas comunitários. Tratava-se de um procedimento de reconciliação que consistia em reunir todos os habitantes da tribo para que eles dividissem seus problemas e conflitos. Uma vez isso realizado, cada um pedia perdão pelos pensamentos inadequados e até mesmo errados que ele havia proferido e que eram a fonte do problema.

Pois bem, naqueles tempos, o Ho'oponopono era organizado pelos xamãs. Ele se inscrevia na atitude de respeito pelos "espíritos", que também estava ligada ao Divino. Assim, os pensamentos proferidos e as ações realizadas pelos homens, se fossem provenientes de memórias erradas, podiam atrapalhar o mundo dos espíritos. Eles também podiam chamar – ou criar – entidades perturbadoras. Portanto, o Ho'oponopono era utilizado como técnica de reconciliação entre os membros de um vilarejo, mas servia igualmente – sobretudo – para que a tribo permanecesse em perfeita harmonia com os espíritos da natureza que a cercavam. Isso também lhe permitia cair nas boas graças deles.

O Ho'oponopono moderno

Com o tempo, esse ritual foi um pouco esquecido. Foi preciso esperar a segunda metade do século XX para que uma xamã havaiana, Morrnah Nalamaku Simeona, modernizasse o Ho'oponopono. Ela era *kahuna lapa'au,* isto é, curandeira e guardiã do segredo (*kahuna* significa "guardião do segredo", e *lapa'au,* "especialista curandeiro").

Morrnah explica: *"Nós somos o acúmulo de todas as nossas experiências, o que equivale a dizer que nós estamos carregados com os nossos passados".* A memória oriunda de cada experiência fica armazenada sob a forma de pensamento no corpo etéreo, que é o corpo sutil mais próximo do corpo físico.

Inspirando-se no antigo ritual, ela concebeu um novo protocolo, que se pratica sozinho, sem ajuda de ninguém. Esse protocolo faz um apelo à Divindade que existe em cada um, para curar os pensamentos e as memórias perturbadoras. Trata-se, portanto, de um processo de reconciliação consigo mesmo, graças à energia do amor.

O Ho'oponopono nos diz que nós somos os criadores do que nos rodeia e que, ao mudarmos os nossos pensamentos, podemos tornar harmoniosa a vida que vivemos. Logo, isso não é muito diferente do ponto de vista xamanista do método ancestral. De fato, este último considerava que os pensamentos errados dos indivíduos exerciam uma ação nociva nos espíritos que habitavam ao redor deles, que, em troca, enviavam-lhes situações desagradáveis. Quando, ao contrário, os mesmos indivíduos positivavam seus pensamentos e apagavam suas memórias erradas, eles reconquistavam a harmonia com os espíritos do mundo invisível e caíam, assim, nas boas graças deles.

A constituição do ser humano

O Ho'oponopono permite recriar o equilíbrio entre o mundo exterior (visível e invisível) e o mundo interior. Pois bem, este último, que podemos chamar de "identidade de si", é composto por quatro elementos:

- *unihipili* ou subconsciente, que armazena a memória das experiências passadas e as emoções;
- *uhane* ou consciência, que corresponde à nossa razão e inteligência;
- *aumakua* ou Eu Superior (alma), que se situa em uma outra dimensão;
- Centelha ou Inteligência Divina, na qual se criam a identidade de si e as inspirações.

O ideal é que essas quatro partes permaneçam em equilíbrio. É interessante notar que a medicina atual pensa a mesma coisa a propósito da consciência e do inconsciente (ela não fala, claro, nem da alma, nem da centelha divina), que devem ficar em equilíbrio para a saúde mental dos indivíduos.

O objetivo do Ho'oponopono é recriar o equilíbrio entre as quatro partes da sua identidade, para que você possa se reconectar à sua centelha divina (ou Divindade Interior) e reconquistar a sua paz interior. Para Morrnah Nalamaku Simeona: *"A paz começa consigo"*. Ela acrescentava: *"Nós estamos aqui somente para trazer paz à nossa vida, e, quando trazemos paz à nossa vida, tudo ao nosso redor volta ao seu lugar, reencontrando o seu ritmo e paz"*.

O passado dos seres humanos os deixa mais pesados.
Quando sentissem estresse ou medo, eles deveriam olhar para dentro de si mesmos. Constatariam então que a causa do mal-estar que os atormenta provém de uma de suas memórias.
Bastaria então apagá-la para que o estresse e o medo desaparecessem.

Segundo a visão xamanista, o Ho'oponopono permite restabelecer o seu equilíbrio tanto interior quanto exterior, consigo mesmo e com os espíritos da natureza.

Os cátaros[140]

A religião cátara se desenvolveu rapidamente no sul da França, principalmente na região do Languedoc, de tanto que a simplicidade e a beleza de seus preceitos resplandeciam, sobretudo quando comparadas às da Igreja cristã daquela época. Os verdadeiros cátaros não moravam em castelos, mas viviam em grutas ou cabanas, graças às doações dos habitantes com quem eles dividiam o trabalho.

A religião cátara era avançada para a época. Ela falava de um deus único e bom, assim como dos ensinamentos de Jesus Cristo. Sua doutrina era parecida com a dos primeiros cristãos, antes da instituição dos dogmas pela Igreja, que modificaram o seu sentido. Os cátaros pregavam a humildade, a compaixão e o amor. Eles pensavam que cada indivíduo era capaz de se relacionar com Deus sozinho, sem nenhum intermediário religioso.

Os perfeitos – homens e mulheres em igualdade – constituíam o sacerdócio daquela religião. Eles viviam uma vida de ascetismo e transmitiam a palavra divina em áreas rurais. Esperavam assim poder sair do ciclo de reencarnações e permanecer no outro mundo – o mundo de Deus – sob a forma de entidades espírito-alma-corpo de luz. A aprendizagem dos perfeitos era longa. Ela necessitava de uma rígida iniciação, que os colocava em contato consigo mesmos, mas também com os espíritos da natureza, com quem eles se comunicavam e pelos quais nutriam o maior respeito. Isso fazia deles grandes xamãs. Os perfeitos também eram os herdeiros das escolas dos Mistérios.

---

40 Indicação de leitura: BLUM, J. *Les cathares, du graal au secret de la mort joyeuse*. Mônaco: Du Rocher, 1999. • GENEL, J.-C. *La voie parfaite*. Paris: Des 3 Monts, 2006. • GRIFFE, M. *Les cathares*. Canes: TSH, 2006. • PAHIN, J.-Y. *Le Baptême d'Esprit*. Turim: Amrita, 1993.

A doutrina cátara afirma que o mundo sensível é sustentado por um mundo espiritual que lhe é preexistente. Contrariamente ao que muitas vezes se diz de maneira simplista, os cátaros não consideravam o mundo físico como o "mal" e o outro mundo como o "bem". Eles viam a matéria como um mundo imperfeito, mas necessário para que os seres pudessem se purificar cada vez mais, de encarnação em encarnação, e adquirir o conhecimento de suas imperfeições. Alguns dualistas dirão que o "bem" precisa do "mal" para os seres progredirem, o que é mais ou menos verdade. Porém, na realidade, não existe nem "bem", nem "mal" – a única coisa que conta é a evolução dos seres.

Seja como for, o pensamento cátaro não se distingue muito da visão do Ho'oponopono com relação a certos aspectos. De fato, a matéria, o mundo que o cerca, revela-lhe as suas imperfeições: cabe então a você eliminar os pensamentos errados associados a ele, de modo a se purificar cada vez mais para alcançar o mundo espiritual e harmonioso.

A atualização dos pensamentos

O pensamento não passa de um clarão no meio da noite. Mas é este clarão que é tudo.
Henri Poincaré. *O valor da ciência.*

A sua mente fabrica a cada instante um número considerável de pensamentos diversos, que nem sempre estão bem organizados. Eles são, em sua maioria, emitidos pelo seu cérebro, que não para de tagarelar na sua cabeça a respeito de tudo e mais um pouco, tecer comentários o tempo inteiro e fazer juízos de valor sobre si mesmo e sobre os outros.

Pois bem, o presente é apenas a atualização de um futuro potencial, isto é, a consequência dos seus pensamentos passados.

Os pensamentos são informações trazidas por energias, isto é, "entidades"[41] embrionárias que só estão pedindo para viverem e se desenvolverem. Eles são projetados no futuro e criam, na energia, futuros potenciais, ou seja, possíveis amanhãs, que programam o que você se tornará posteriormente.

Você é hoje o que pensou sobre si mesmo ontem. Você se torna o que você pensa.

Você está cercado de futuros potenciais que os seus pensamentos criaram, e o seu presente não passa da realização de um deles.

Felizmente, os seus inúmeros pensamentos contraditórios – "*Eu sou o máximo*", "*Eu sou um zero à esquerda*" – atenuam mutuamente a ação um do outro, graças a relações de força opostas. No entanto, tais pensamentos e futuros potenciais vão fazer de tudo para se desenvolverem e se realizarem.

Para isso, os mesmos pensamentos terão tendência a voltar muitas vezes à sua mente, para se alimentarem da sua energia psíquica e se desenvolverem, tornando-se assim cada vez mais fortes. As ideias fixas e as obsessões são excelentes exemplos desse mecanismo, quando você se imagina pobre e fracassado. Esse pensamento vai se desenvolver na energia e dentre os futuros potenciais até virar realidade, o que vai confirmar ainda mais este sentimento: "*Eu tinha razão mesmo de pensar isto*", o que, por sua vez, só fará atualizar novas situações desvalorizantes. Em resumo: é um círculo vicioso!

Sabendo disso, é importante se imaginar com saúde, brilhante e cheio de sucesso na vida. Esse método corresponde, claro, ao princípio do pensamento positivo de Émile Coué[42], da visualização do Dr. Carl Simonton[43] e da lei da atração.

---

41 Definição de uma entidade: essência de um ser.

42 Psicólogo e farmacêutico francês (1857-1926), autor de um método de autossugestão com o auxílio de pensamentos positivos.

43 Radiologista e oncologista americano, autor de obras como *Cartas de um sobrevivente* – O caminho da cura através da transformação interior. São Paulo: Summus, 1994.

Assim, os pensamentos atraem situações que vêm confirmá-los. Se você pensa que é um zero à esquerda, vai acontecer uma grande quantidade de coisas, na sua vida cotidiana, que corroboram essa sua ideia. Se você considera a vida como perigosa, muitas situações vão trazer uma confirmação desse sentimento (acidentes, incidentes, desastres climáticos, epidemias...). Pois bem, foi você que criou essa visão do mundo. O mundo, então, curvou-se às suas expectativas, tornando-se perigoso para você.

Os seus pensamentos se veem amplificados por pensamentos semelhantes e por situações que os refletem; eles vêm, assim, alimentá-los e confirmá-los. Tudo isto incita você a levá-los cada vez mais a sério e, sobretudo, considerá-los como uma realidade, o que faz com que tais pensamentos possam se atualizar. Eles se tornam a sua realidade no presente. Isto constitui um verdadeiro círculo vicioso, que se intensifica com o tempo, por causa do efeito bola de neve. Tanto que se torna impossível, para você, compreender que o que você está vivendo não é a realidade, mas simplesmente o mundo que você inventou para si mesmo.

O ambiente ao seu redor é constituído de muitos potenciais à espera de atualização, que só podem ocorrer se lhes for dada uma oportunidade, isto é, se os seus pensamentos os atraírem.

Pensamentos errados suscitam futuros potenciais ruins e, assim, situações difíceis de viver no presente, enquanto pensamentos certos trazem harmonia e amor à sua vida.

É por isso que é importante, em primeiro lugar, controlar os seus pensamentos. A meditação é uma boa técnica para isto. Ela permite calar a sua mente e, portanto, enxergar o que é essencial para você. Porém, se, apesar de tudo, um pensamento ruim lhe escapulir – “Eu sou um zero à esquerda” – envie, então, logo depois, o pensamento oposto – "Eu sou demais" – para aniquilar o primeiro.

O Ho'oponopono, quanto a ele, permite eliminar os futuros potenciais ruins que se materializaram, apagando a memória errada que os gerou. Isto é muito útil.

O tempo do sonho

O tempo do sonho é um mito importante na cultura dos aborígenes da Austrália. Ele corresponde ao período imaterial que precedeu a criação do mundo. Trata-se do período em que o pensamento antecipou a criação no mundo material. É também o lugar para onde todos nós iremos após a nossa morte.

Assim, para eles, toda materialização já é pensada e construída na energia antes de se manifestar no nosso mundo. Dependendo da natureza do pensamento emitido, a realização será, claro, totalmente diferente. E, ao contrário, toda realização é a consequência de um pensamento, que é condicionado por memórias.

O Ho'oponopono explicado pela física quântica

Cansamo-nos de tudo, menos de compreender.
Virgílio

Todos nós aprendemos na escola a física de Newton, na qual as maçãs caem da macieira verticalmente, de cima para baixo, por causa da força da gravidade da Terra. No entanto, ao mesmo tempo em que este ensinamento nos estava sendo dado, as descobertas da física quântica mostravam que essa visão do mundo estava completamente obsoleta.

A física quântica

A física quântica é muito complicada quando olhamos as fórmulas matemáticas utilizadas nas demonstrações. Isto fez com que certas pessoas se perguntassem por que Deus havia criado um Universo tão complicado! Contudo, embora as demonstrações sejam difíceis de entender para os reles mortais, as respostas obtidas são, quanto a elas, simples e – relativamente – claras, sendo, portanto, acessíveis a todos.

Uma das primeiras lições que a física quântica nos ensina é que a matéria, tal como a concebemos normalmente, não existe!

De fato, longe do seu aspecto físico, que geralmente percebemos, a matéria é, na realidade, apenas uma gigantesca concentração de energia. Cada partícula do Universo não passa de energia concentrada. Em seguida, as partículas se associam entre si para formar os átomos e depois as moléculas, que dão origem à matéria visível. Logo, a matéria é feita somente de energia.

O Universo é formado por inúmeras partículas, separadas por imensos espaços vazios. Isto demonstra que, na verdade, a matéria seria feita apenas de vácuo! Mas, então, o que lhe dá o seu aspecto sólido? São as forças de ligação que unem as partículas entre si e que também encontramos entre os planetas do sistema solar e entre as galáxias. São as interações fracas, as interações fortes, as forças gravitacionais e as forças eletromagnéticas.

Mais impressionante ainda é o fato de que a matéria pode produzir energia novamente e depois formar mais uma vez novas partículas (matéria[44]) em um vasto movimento de criação e destruição, assim como a água se transforma em vapor antes de voltar a ser água quando a temperatura cai. Isto sig-

---

44 Esta noção foi denominada "dualidade onda-corpúsculo".

nifica que a energia e a matéria são apenas os dois aspectos de um mesmo elemento, que o Universo se forma e se deforma de maneira incessante.

Para ordenar a energia e a matéria, foi preciso a presença de uma informação, senão a energia teria ficado sem forma. Ela não teria produzido a matéria, primeiro inanimada e depois animada, e, por fim, a consciência. O astrofísico George Fitzgerald Smoot[45], a propósito das fotos do nascimento do Universo tiradas pelo satélite COBE, disse que elas iriam revelar a *"face de Deus"*. Os Irmãos Bogdanov[46] mencionam, em um livro com o mesmo título[47], a hipótese, partilhada por muitos estudiosos – dentre os quais George Fitzgerald Smoot – de uma espécie de DNA cósmico, isto é, da presença de uma informação cósmica que organizaria a marcha geral do Universo desde o Big-Bang.

A informação é, portanto, um elemento essencial para o surgimento e funcionamento do Universo. Ela é carregada de energia, assim como as ondas do rádio. Sabemos hoje que existem "ondas não lineares", capazes de atravessar o Universo inteiro sem perderem força com a distância, e isto a velocidades muito superiores à da luz. Logo, a informação pode facilmente viajar de um lado para o outro do Universo. Pois bem, esta última informa, isto é, "enforma", logo "dá forma" à matéria. Inversamente, toda forma contém uma informação.

Porém, segundo os astrofísicos, estão faltando 96% do Universo[48], o que é muito! Essa grande parte foi denominada por eles de "matéria negra" e "energia negra", as quais até hoje ninguém conseguiu compreender. Ela se encontraria por toda parte no

---

45 Astrofísico e cosmologista americano, Prêmio Nobel em 2006.

46 Cientistas franceses [N.T.].

47 BOGDANOV, I. & BOGDANOV, G. *A face de Deus*. Rio de Janeiro: Paz e Terra, 2011.

48 ASTIER, P. "Énergie noire, la grande inconnue". *CNRS Journal* [Disponível em http://www2.cnrs.fr/presse/journal/1981.htm].

Universo e até mesmo no interior da matéria. A matéria ou energia negra é onipresente, à imagem do éter descrito pelos homens da Antiguidade. Para certos cientistas, tais como o físico americano Nassim Haramein, essa energia faltante é simplesmente a energia do vácuo. Portanto, nós estaríamos mergulhados em um oceano de energia que preenche todos os espaços entre as partículas, entre os planetas, entre as galáxias. Ele consistiria em energia incoerente, ao passo que a matéria, por sua vez, seria energia coerente, mergulhada em um oceano de energia incoerente. A coerência é fornecida à energia pela informação.

A energia do vácuo poderia ser a próxima fonte de energia da humanidade. É o que com frequência se chama de "energia livre", que estaria à disposição de todos e seria inteiramente gratuita, assim como o engenheiro americano Nikola Tesla[49] já havia sacado, há quase um século.

O homem energético

O ser humano, fazendo parte do Universo, é constituído pelos mesmos "ingredientes" que ele: matéria/energia e informação. Só que os nomes são diferentes. Fala-se em corpo físico, circulação energética e mente/psiquismo. Isto significa que, por sua constituição, o ser humano é, antes de tudo, energético como o Universo, antes mesmo de ser químico e biológico.

No âmbito orgânico, os trabalhos de Georges Lakhovsky[50] demonstraram que cada célula do corpo é um minicircuito oscilatório que emite e absorve ondas eletromagnéticas em frequências específicas. Mais tarde, foi descoberto que as células se comunicavam entre si e com o ambiente ao redor delas, emitindo luz (fótons).

---

49 Inventor e engenheiro americano de origem sérvia (1856-1943).

50 Georges Lakhovsky (1869-1942) foi um pesquisador de origem russa que trabalhou durante muito tempo na França. Cf. *L'origine de la vie*. Paris: Nilsson, 1925.

O DNA é ainda mais surpreendente. Na verdade, ele é apenas informação. É ele o verdadeiro centro emissor-receptor da célula, que a coloca em contato permanente com seu ambiente próximo e distante, isto é, com o mundo quântico que a cerca. Ele também é capaz de agir na matéria, como vimos mais acima, no parágrafo dedicado à epigenética.

A mente

As experiências com o DNA descritas anteriormente suscitam interesse pela ação da mente na matéria e, portanto, no ambiente. Existem muitas provas de que a mente humana influencia o corpo. Podemos citar, por exemplo, o efeito placebo, o pensamento positivo de Émile Coué e as técnicas de visualização do Dr. Carl Simonton[51], a hipnose, a sofrologia... sem esquecer os efeitos nefastos do estresse. Tudo isso demonstra de maneira perfeita que a sua mente age direta e constantemente no seu corpo.

O poder da mente vai muito além do que costumamos imaginar. Uma observação relatada pelo Dr. Deepak Chopra[52] demonstra esse fato. Trata-se de uma doença psiquiátrica na qual personalidades múltiplas se expressam sucessivamente no corpo de um mesmo indivíduo. Ficou assim comprovado que uma mesma pessoa era capaz de se tornar diabética (insulino-dependente), epilética, daltônica, hipertensa, alérgica e até mesmo apresentar cicatrizes, verrugas ou erupções cutâneas, de acordo com a personalidade que ela estava expressando. Além disso, a transição de uma personalidade para a outra podia ser muito rápida. Essa observação demonstrou que cada personalidade modificava a biologia do organismo de seu hospedeiro, e isto de maneira extremamente veloz. Logo, se pessoas doentes são capazes de tal proeza, isto significa que

---

51 Cf. notas 42 e 43, p. 74.

52 *A cura quântica* – O poder da mente e da consciência na busca da saúde integral. 50. ed. São Paulo: Best Seller, 2015.

todo mundo possui esta capacidade de alterar a sua biologia, conforme os seus pensamentos.

Os pensamentos dos outros também podem influenciá-lo sem você saber. Os trabalhos de Masaru Emoto[53] revelaram que a mente era capaz de estruturar a água de maneiras diferentes, de acordo com as intenções proferidas. Portanto, é muito provável – para não dizer certo – que os pensamentos dos outros possam modificar a estrutura da água presente no seu organismo. Pois bem, você é constituído por 70% a 80% de água. Esse número indica, por si só, o quanto os pensamentos alheios podem ser perturbadores para o seu organismo (e, por conseguinte, para você), principalmente se eles forem negativos a seu respeito.

A oração

A oração apela para a mente com vibrações de ajuda, amor e compaixão, ou seja, com as vibrações mais elevadas do ser humano. Ela apela também para outras energias, ainda mais sutis, presentes no Universo.

Um estudo[54] efetuado pela Columbia University de Nova York no ano 2000 mostrou que orações realizadas por grupos – de todas as religiões misturadas – situados na Austrália, no Canadá e nos Estados Unidos, haviam melhorado os resultados de fecundação *in vitro* em mulheres tratadas contra a esterilidade na Coreia. As taxas passavam de 26% para 50% de sucesso, sendo que as beneficiárias nem sabiam que aqueles grupos estavam rezando por elas.

---

53 *As mensagens da água*. São Paulo: Isis, 2004. • *A vida secreta da água*. São Paulo: Cultrix, 2007.

54 Dr. Larry Dossey, Columbia University, 2001. Experiência citada por Emmanuel Ransford em um artigo intitulado: "Un monde déconcertant -- Un pas vers la psychomatière", bem como no site www.passeportsante.net com a referência: CHA, K.Y.; WIRTH, D.P. & LOBO, R.A. "Does prayer influence the success of in vitro fertilization-embryo transfer? – Report of a masked, randomized trial". J. Reprod. Med., 46 (9), 2001, p. 781-787.

O estudo Harris et al.[55], efetuado em 1990 nos Estados Unidos, obteve resultados semelhantes com 990 pessoas hospitalizadas na ala de cardiologia – unidade de tratamento coronariano – de Kansas City. As que se beneficiaram de orações tiveram 10% a menos de complicações pós-operatórias do que as outras. Da mesma forma, o Prof. Herbert Benson, da Universidade de Harvard, estima que os pacientes que repetem orações são capazes de estimular alterações de funcionamento em seus órgãos[56].

Uma oração feita para si mesmo ou para os outros poderia, portanto, ser uma outra possibilidade de apagar certas memórias erradas. No entanto, os resultados, embora evidentes, não interessam à totalidade das pessoas, ao passo que, com o Ho'oponopono, isto é, ao assumir a plena responsabilidade por determinada situação e pedir para que a memória errada associada a ela seja apagada, os efeitos parecem melhores e mais rápidos.

Um outro estudo[57] mostra que a felicidade é contagiosa! Assim, o humor de uma pessoa é influenciado pelo dos outros. Um sentimento como a felicidade é transmissível aos amigos, parentes e conhecidos, como revela o estudo citado, realizado com 4.739 indivíduos entre 1983 e 2003. Dentre eles, foram identificados grupos de pessoas felizes e infelizes. Os pesquisadores constataram então que a felicidade se espalhava até o terceiro nível de relação (até os amigos dos amigos dos amigos). Eles determinaram, inclusive, que, se uma pessoa tiver um amigo que resida a menos de 1,6km e que tenha alcançado a felicidade, isto

---

55 HARRIS, W.S. et al. "A randomized, controlled trial of the effects of remote intercessory prayer on outcomes in patients admitted to the coronary car unit". *Arch. Intern. Med.*, 159, 25/10/1999, p. 2.273-2.278.

56 "The Relaxation Response". Benson-Henry Institute for Mind Body Medicine [www.mgh.harvard.edu – Consultado em www.passeportsante.net].

57 *Journal international de médecine*, 11/12/2009. • DOWLER, J.H. et al. "Dynamic spread of happiness in a large social network: longitudinal analysis over 20 years in the Framingham Heart Study". *B.M.J.*, 04/12/2008, p. 337 (a2338, doi: 10.1136/bmj.a2338).

aumenta em 25% a probabilidade de ela própria ficar feliz. Resultados semelhantes foram observados entre marido e mulher, irmãos e vizinhos de porta. Logo, a felicidade é contagiosa. Entretanto, esse efeito tende a diminuir com o tempo e a distância.

> *Tudo isso mostra bem como o seu pensamento age no seu corpo, mas também no seu moral e no dos outros. Na verdade, as ações do seu pensamento vão ainda mais além, como demonstrou a experiência de Wladimir Poponon citada anteriormente, que explica que as suas emoções são capazes de agir na matéria.*

Segundo Gregg Braden[58], a ação da mente teria sido igualmente observada no campo magnético terrestre, que se modificou após os acontecimentos de 11 de setembro de 2001. Estes últimos provocaram um violento trauma na mente de muitas pessoas. O choque foi tão potente que todas as energias psíquicas emitidas naquele instante foram capazes de produzir alterações no eletromagnetismo da Terra. Para a engenheira e professora em ciência aerodinâmica russa Marina Popovitch[59], existiria uma interação permanente entre as emoções humanas e o campo eletromagnético da Terra. Os pesquisadores russos teriam, assim, observado a presença de zonas escuras no campo eletromagnético em lugares onde guerras estavam sendo travadas, como, por exemplo, no Iraque. Marina Popovitch também afirma que os pensamentos emitidos pela humanidade podem influenciar a atividade do Sol. O nosso planeta, por sua vez, teria chegado hoje à saturação. Ele reagiria a isso através de perturbações brutais: sismos, erupções, inundações...

---

58 Escritor e conferencista americano: *The Spontaneous Healing of Belief*. Carlsbad: Hay House, 2008. • *O segredo de 2012* – Tempo, espaço e fractais. São Paulo: Cultrix, 2010 [Cf. o vídeo em http://www.youtube.com/watch?v=3zJpmxMS6DA].

59 Antiga piloto da Soviet Air Force, coronel, engenheira, piloto de teste e autora de vários livros.

A partir do momento em que essas informações forem confirmadas – e extrapolando o princípio delas –, é muito provável que a influência da mente humana possa ir ainda mais longe. Isto porque as ondas não lineares podem se transmitir sem perda até o outro extremo do Universo. Talvez o bater de asas de uma borboleta em Tóquio seja capaz de provocar uma aurora boreal em um planeta de uma galáxia distante. Vai saber?

> *Pois bem, o Ho'oponopono permite mudar esses pensamentos (informações), apagando as memórias negativas, o que vai, portanto, interagir na matéria ambiente. Uma vez os pensamentos negativos apagados, os pensamentos positivos vão poder se desenvolver à vontade e gerar um ambiente equilibrado.*

Assim, o nosso ambiente é constituído apenas de energia/matéria informada. A mente pode agir nele tanto em escala individual quanto planetária, tanto no âmbito microscópico quanto no macroscópico.

Ficou fácil entender agora, graças à física quântica, por que esse processo de reconciliação consigo mesmo é capaz de trazer harmonia à sua mente, ao seu corpo e ao seu universo.

O nosso mundo é real?

Nós somos o que pensamos. Tudo o que nós somos resulta dos nossos pensamentos. Com a nossa mente, construímos o nosso mundo.
Buda

A partir do que acaba de ser dito nos parágrafos anteriores, você pode legitimamente se perguntar se o mundo no qual você vive é real mesmo ou se, em vez disso, você não o está sonhando. Porque, se tudo não passa de energias e informações e se você é 100% criador da sua vida unicamente graças à sua mente, então você pode refletir – e com razão – se o Universo, tal como você costuma concebê-lo, não é simplesmente fruto de um pensamento, de um pensamento seu.

Essa ideia parece pertinente, pois vários elementos tendem a fazer você "pensar" que está vivendo dentro de um sonho.

O cérebro

Primeiro, é preciso saber que o seu cérebro não faz diferença entre o real e o imaginário, nem entre a ação e o pensamento. Pesquisadores já observaram, em ressonâncias magnéticas funcionais, que as mesmas zonas do cérebro se ativavam quando o indivíduo efetuava uma ação ou quando ele olhava alguém fazendo tal ação ou ainda quando ele se imaginava fazendo a mesma ação.

Assim, você pode se perguntar se está agindo para valer ou se está simplesmente imaginando que está agindo. A incapacidade que o nosso cérebro tem de distinguir o real do imaginário permitiu desenvolver terapias simbólicas capazes de liberar as pessoas de alguns de seus conflitos. Por exemplo, se uma pessoa tem rancor de alguém que já morreu, ela não pode mais, obviamente, ir se explicar com o falecido. Porém, ela pode, mesmo assim, aliviar o seu sofrimento escrevendo uma carta para ele e depois colocando-a no correio. Seu cérebro considerará então esse ato como algo que se realizou de verdade e pensará que o falecido realmente recebeu a mensagem, o que atenuará, por conseguinte, a tensão gerada pelo rancor.

Ao constatar isto, você entende como é fácil enganar o seu cérebro e fazê-lo enxergar uma ilusão como se fosse a realidade. Da mesma maneira, você também pode ser enganado e acreditar que a vida é a realidade, enquanto, na verdade, ela não passa de uma ilusão.

O ser humano

O ser humano é constituído, assim como o Universo, de matéria/energia, de um lado, e informações/pensamentos, de outro, como já dissemos antes. Porém, se refletirmos bem, o que define um ser humano? Não é a matéria, nem o seu corpo físico, mas sim os seus pensamentos. Foi o que levou certos físicos[60] a dizerem *"o ser humano é, na verdade, apenas um punhado de memórias"*, o que corresponde diretamente à visão do Ho'oponopono sobre as memórias erradas que devem ser apagadas.

A mente emite ondas energéticas que são cientificamente mensuráveis, assim como demonstram os eletroencefalogramas utilizados em medicina. Além disso, já vimos que a mente era capaz de agir na matéria. Aliás, esse fenômeno atrapalhou terrivelmente os pesquisadores quânticos. Em suas primeiras pesquisas, eles perceberam que os seus pensamentos, isto é, as suas expectativas, modificavam os resultados das experiências em andamento. Quando esperavam um resultado no âmbito vibratório, eles o obtinham. Se outro pesquisador, em um experimento idêntico, esperasse uma resposta no domínio corpuscular, também o obtinha. Isto foi denominado "efeito da atenção nas subpartículas".

Contudo, além de modificar o mundo ao seu redor, a mente também seria capaz de *criá-lo*, o que é ainda muito mais poderoso, você há de concordar. Isto se manifestaria primeiro no universo energético, materializando-se, em seguida, no universo físico, se os pensamentos fossem emitidos com convicção suficiente. Logo, os seus pensamentos, que são influenciados pelas suas memórias, construiriam o mundo no qual você vive. Seria você que teria construído o ambiente ao seu redor e o tornado visível graças aos pensamentos que você emitiu. Mas será que o mundo existe para valer ou será que ele pertence simplesmente ao universo dos sonhos... dos seus sonhos?

---

60 Ideias relatadas à física Jacqueline Bousquet. Cf. mais adiante.

A consciência do mundo ao seu redor

Isto levanta a questão de como você conhece o mundo que o cerca. Na verdade, você o compreende unicamente através dos seus cinco sentidos. A sua visão do mundo exterior é uma representação realizada no seu cérebro a partir de informações enviadas pelos seus sentidos. Você acredita na existência dos objetos porque os vê, toca, cheira e ouve, através dos órgãos dos sentidos. No entanto, as suas percepções não passam de pensamentos na sua mente... e o seu cérebro se encontra dentro de uma caixa-preta totalmente isolada do mundo que o cerca!

Os seus cinco sentidos funcionam em modo vibratório, e nem um pouco em modo "material/físico", como você poderia estar pensando. Já sabíamos disto quanto aos sons e às cores. Porém, hoje, também sabemos disto com relação aos cheiros[61]. Eles apresentam igualmente uma natureza vibratória, e não molecular. Moléculas de estruturas químicas muito parecidas são capazes de produzir odores totalmente diferentes. A única explicação para essa diferença é que o olfato funciona em modo vibratório, e não químico. É muito provável que o tato funcione da mesma maneira, pois, visto que a matéria é formada somente por ondas concentradas, é difícil imaginar que ocorra de outra forma.

Assim, o conhecimento do ambiente ao seu redor é apenas vibratório. Isto explica por que ele é facilmente modulável pelos seus pensamentos, ou seja, pelas suas crenças, medos e valores, que agem como filtros, alterando a percepção do universo que o cerca.

Além disso, os seus sentidos só captam uma parte das informações presentes em torno de você. Por exemplo, você não ouve todos os sons, nem vê todas as cores, nem sente todos os cheiros. Para certos animais, as gamas são muito mais ex-

61 *Science et vie*, abr./2011.

tensas do que para você – ultrassons ou infravermelhos, por exemplo. A realidade que você percebe é, portanto, bastante fragmentária. Isto significa que a parte do Universo visível aos seus sentidos é bem ínfima com relação à globalidade das ondas emitidas no ambiente ao seu redor.

Por fim, é preciso recordar que as informações captadas pelos cinco sentidos são codificadas por influxos elétricos e depois transmitidas ao cérebro pelos nervos. Em seguida, o cérebro *reconstitui* o Universo exterior a partir das informações que ele tiver recebido. A reconstituição é efetuada conforme os esquemas do seu sistema mental. Essa imagem do mundo é, portanto, distorcida por causa do seu modo de captação, do seu modo de transmissão, da capacidade que o cérebro tem de reconstituí-la e, enfim, dos filtros psicológicos que querem, a qualquer custo, introduzir a imagem recebida no seu sistema de referência. Apesar de tudo isto, é essa imagem que será a realidade para você. Pois bem, ela não se situa fora de você, mas sim no interior da sua cabeça. Tudo isto só existe dentro da sua mente. Em outras palavras, você pode muito bem ser enganado por ilusões quando imagina que o Universo, assim como o ambiente ao seu redor, tem uma existência no exterior da sua mente.

Você poderia muito bem considerar que essa realidade foi criada inteiramente pelo seu cérebro ou ainda que as informações recebidas por ele não são reais, mas sim fruto da sua imaginação e até mesmo de manipulações que lhe teriam sido enviadas. Você não tem nenhuma prova de que o mundo exterior existe realmente. Por isso, você poderia considerar também que o real não existe e que você está simplesmente vivendo um sonho! Porque, durante um sonho, você também vê, toca, ouve e sente coisas como na realidade. Então, onde está a diferença? O que faz você crer que a vida diurna é a vida real e que as imagens vistas durante o seu sono não passam de sonhos? São apenas os seus pensamentos e os seus preconceitos que lhe dão tal impressão.

O seu organismo também seria apenas uma imagem, uma ilusão, assim como o Universo que o cerca e até mesmo o seu cérebro. Logo, o ser humano seria uma não realidade. As suas experiências seriam enganosas, e o Universo, como um todo, não passaria de uma ilusão. *De você só sobraria a mente.* O ser humano seria, portanto, apenas um conjunto de pensamentos, isto é, um conjunto de memórias que agiria em um ambiente exterior ilusório.

Você é somente a imaginação de si mesmo.

Em um futuro muito próximo, os computadores serão capazes de enviar ao seu cérebro informações virtuais de natureza visual, auditiva, olfativa, gustativa e tátil, que poderão fazê-lo pensar que você está vivendo em um mundo real, enquanto este último terá sido realizado pelo computador. Você também poderá enviar a ele informações/pensamentos e, assim, conversar com a máquina, obter dela alterações nas informações que lhe são enviadas e, portanto, mudanças no mundo imaginário criado por ela para você, que o enxergará como real.

Acontece exatamente a mesma coisa na sua realidade atual: você pode interferir nos acontecimentos através da sua mente. Ao mudar os seus pensamentos, você muda o sonho que está vivendo – a sua realidade cotidiana – com uma facilidade infantil, talvez sem nem se lembrar de que você a mudou!

O aspecto quântico

Há um século, a imagem que nós tínhamos da realidade era a de um mundo material palpável e mensurável (a física de Newton). Depois, a física quântica chegou e revolucionou tudo... a tal ponto que hoje o ambiente ao nosso redor se tornou virtual, constituído unicamente de energias e informações. A nossa visão do mundo passou da realidade para a abstração. O próprio Universo teria nascido de uma "singularidade" na qual a matéria e a energia proviriam de algo que ainda falta definir e que não teria limites nem no tempo, nem no espaço. Assim, a física Jacqueline Bousquet[62] teria dito que *"o Universo se comporta mais como um pensamento do que como um mecanismo"*.

O Universo seria então um pensamento. A ideia é bela e poética. Ela não deixa de lembrar certos textos mitológicos. Agora resta saber quem emitiu o pensamento em questão. Obviamente, a ideia de um grande arquiteto que teria organizado tudo isto é sedutora. Como já vimos, alguns astrofísicos falam de DNA cósmico para indicar a provável presença de uma informação diretriz no cosmos. Porém, eles não especificam de onde provém esse DNA, nem quem o concebeu.

Na verdade, poderia ser muito mais simples do que isto. Sendo o único criador de tudo o que acontece na sua vida, você poderia estar criando a cada instante o ambiente no qual você evolui. Como já mencionaram físicos como Hubert Reeves[63]: *"A matéria só se formaria sob o seu olhar"*. Essa frase resume perfeitamente uma longa lista de trabalhos de pesquisa em física quântica. Ela significa que a matéria só se informa – adquire forma – sob o seu olhar. Convém, é claro, entender aqui o sentido da palavra "olhar" como significando "mente". É a sua

---

62 Doutora em ciências, pesquisadora honorária do Centro Nacional de Pesquisa Científica da França – CNRS (www.arsitra.org) e autora de vários livros, dentre os quais *Au coeur du vivant* (St Michel de Boulogne: Saint-Michel, 1992) e *Le réveil de la conscience* (Paris: Guy Trédaniel, 2003).

63 Astrofísico franco-quebequense, autor de vários livros, dentre os quais *O Universo explicado aos meus netos* (Lisboa: Gradiva, 2012).

mente que dá coerência à energia, transformando-a, assim, em matéria. De outro modo, ela permanece em sua forma energética incoerente. A *sua* mente cria assim *toda* a matéria e *todo* o Universo ao seu redor.

Portanto, não existe mais acaso, nem coincidência, nem sincronicidade, nem Providência... só existe você, que envia mensagens a si mesmo...

O seu inconsciente envia mensagens de maneira permanente à sua consciência, por intermédio de acasos e coincidências que ele cria no seu Universo. Ele é capaz de criar tudo no ambiente ao seu redor, até mesmo as coisas mais inacreditáveis: aparições, incidentes, sismos, mudanças climáticas, revoluções, encontros, fortuna, sorte... Tudo é possível para o inconsciente, simplesmente porque é o mundo dele, porque é o seu mundo.

A sua atenção cria o Universo diante dos seus olhos, de acordo com os pensamentos que você emite constantemente e que você emitiu (atualização dos pensamentos) no passado. Fica fácil entender então que, ao mudar os seus pensamentos – como no caso do Ho'oponopono, processo no qual se apagam memórias erradas –, você muda a construção do Universo no qual você pensa estar vivendo e que, na verdade, não passa de uma ilusão, ou seja, de uma construção do seu eu.

Essa criação é efetuada de maneira imediata e inconsciente. Todavia, o problema é que é o inconsciente que dirige a sua mente, com suas boas e más memórias. Por isso, o apagamento das memórias erradas é muito importante, pois ele permite harmonizar pouco a pouco o mundo no qual você vive.

Os outros existem?

Porém, se o mundo exterior é fruto da sua imaginação, uma questão se impõe: "Será que os outros indivíduos existem?" O Dr. Len, perguntado sobre o assunto, responde: *"Os outros? Que outros?"* Trata-se, na minha opinião, de um gracejo destinado a nos fazer entender bem o sentido do Ho'oponopono. Pois, na verdade, os outros realmente existem enquanto indivíduos. No entanto, eles correspondem totalmente à sua imaginação, senão não estariam no "seu" mundo.

É preciso entender que não existe um mundo – a Terra –, no qual vivem sete bilhões de indivíduos, mas, ao contrário, existem sete bilhões de mundos reunidos por uma consciência em comum. Esses mundos estão ligados por uma trama e devem obedecer às leis inerentes a este meio (espaço/tempo). Assim, o mundo material seria aquela trama, isto é, uma espécie de suporte em comum, no qual todos os seres humanos desenvolveriam os seus próprios mundos.

É possível – e até mesmo bem provável, segundo os físicos – que existam muitos universos paralelos ao nosso, nos quais cada indivíduo exploraria outros futuros potenciais, ou seja, nos quais cada indivíduo levaria outras vidas em outros universos, o que lhe permitiria enriquecer proporcionalmente suas experiências, bem como sua evolução pessoal. Em outras palavras, nós viveríamos em vários universos ao mesmo tempo, universos nos quais coexistiríamos e desenvolveríamos experiências diferentes.

Tudo isso mostra que não se tem nenhuma certeza de que o Universo existe realmente, no sentido em que normalmente o entendemos. A física quântica apresentaria até mesmo uma prova do contrário. Nesse caso, é fácil compreender que os seus pensamentos condicionam a ilusão que você está vivendo, ou melhor, que você acredita estar vivendo. Ao apagar os pensamentos nocivos, o Ho'oponopono lhe permite viver uma vida harmoniosa e alcançar assim as suas aspirações profundas.

As consequências do Ho'oponopono nos indivíduos

Eles não sabiam que era impossível,
então o fizeram.
Marc Twain

O primeiro elemento perceptível do Ho'oponopono é que ele alivia o sofrimento durante os períodos difíceis da sua vida. Com ele, não há necessidade de analisar as situações ou fazer pesquisas aprofundadas. Ao apagar as suas memórias perturbadoras, o Ho'oponopono interrompe a situação desagradável para conduzir você até águas mais tranquilas.

No entanto, o Ho'oponopono é um estilo de vida, e não uma terapia. Ele jamais substituiria uma consulta psiquiátrica, psicanálise, psicoterapia ou terapia PNL. Contudo, ele as complementa harmoniosamente e pode atenuar a maioria dos pequenos conflitos cotidianos. Portanto, é aconselhável praticá-lo diante de tudo de desagradável que ocorrer na sua vida. Porém, é claro, caso haja um transtorno intenso ou se o problema persistir, é imprescindível consultar um médico.

Também é impossível saber até onde o apagamento de uma memória com o Ho'oponopono vai levar você. Sabe-se simplesmente que isso lhe permitirá melhorar o seu presente, tirando-o de uma situação difícil. Logo, o Ho'oponopono alivia os seus sofrimentos de maneira rápida e definitiva. É assim que todo problema encontrado na sua vida pode ser resolvido trabalhando unicamente em si mesmo.

Depois, à medida que as suas memórias erradas forem sendo apagadas, você começará a se descobrir realmente, descobrir quem você é, o que você quer lá no fundo do coração e quais são as suas aspirações essenciais. Pouco a pouco, você vislumbrará a sua verdadeira identidade. Isto vai, obviamente, mudar os seus pensamentos e, por conseguinte, o seu mundo, que se tornará assim harmonioso e ficará em total osmose com os seus desejos mais secretos. Você poderá então desenvolver os seus talentos e explorar muitos futuros potenciais propícios à sua evolução pessoal.

A eliminação dos pensamentos errados fará com que você reconquiste a sua integridade, o que é muito importante para favorecer novas energias. Você também desligará definitivamente a sua mente e deixará os seus pensamentos totalmente conscientes, tornando-se, assim, *conscientemente* o criador do seu mundo e não se submetendo mais a ele de maneira inconsciente e desordenada, como é o caso atualmente. Você será então o verdadeiro dono do seu destino.

O Ho'oponopono e as energias novas

"Não existe caminho para a felicidade.
A felicidade é o caminho."
Buda

Já vimos que nós vivemos em sete bilhões de mundos, que estão reunidos por uma consciência em comum. Esta última constitui a trama que liga os mundos que criamos para nós mesmos. Esses universos são totalmente autônomos e dependem unicamente dos pensamentos de seus donos. Eles devem, entretanto, obedecer a certas regras associadas ao espaço--tempo no qual evoluem. Pois bem, atualmente, dois fenômenos estão se produzindo no nosso ambiente planetário:

► O campo eletromagnético da Terra está aumentando. Isso foi observado no âmbito da ressonância de Schumann[64]. Essa elevação é resultante de um aumento mais geral, que afetaria, pelo menos, o conjunto da nossa galáxia. A causa provém da chegada de novas energias cósmicas. Estas últimas trazem aos seres humanos uma elevação do nível de consciência deles, novas visões, novas capacidades e novos pensamentos. Porém, antes de chegar lá, será preciso que os seres humanos se adaptem a elas, o que exige tempo, calma e discernimento. É o período de transição que estamos atravessando atualmente. O tempo de adaptação se traduz por cansaço, irritabilidade, angústia, depressão.

► Aliás, como já foi mencionado anteriormente, os pensamentos dos seres humanos interferem no campo eletromagnético da Terra. Ora, atualmente, há uma saturação por causa de todos os acontecimentos que se produzem em meio à humanidade: guerras, fomes, assassinatos, desigualdades, tensões, crises, revoluções... Tanto que o planeta reage violentamente, através de terremotos, erupções, inundações... o que só faz amplificar o processo. E as catástrofes deixam esse período de transição ainda mais difícil.

Para superar essa fase delicada, convém que cada um se torne o mais leve possível. No plano físico, uma vida equilibrada é, obviamente, essencial: alimentação orgânica, de tipo

---

64 A ionosfera possui capacidades de ressonância que foram descobertas pelo físico alemão W.O. Schumann.

mediterrâneo, atividade física, respiração, relaxamento etc. E, no plano psíquico, é necessário encontrar uma solução para os velhos conflitos, apagar todas as suas crenças e valores limitadores, bem como os seus medos. Tudo isso deve ser realizado de forma muito rápida, pois as energias evoluem com extrema velocidade atualmente. É por isso que técnicas como psicanálise, psicoterapia, PNL, EMDR[65] etc., que são bastante úteis nos casos patológicos, não são – ou são pouquíssimo – adequadas aqui, por se mostrarem pesadas demais (necessitando de um terapeuta) e lentas demais.

Dentre todas essas ferramentas, o Ho'oponopono é, sem dúvida, a mais eficiente no período que estamos atravessando, pois ele lhe permite apagar rapidamente todas as suas memórias erradas. Assim, será mais fácil, para você, adaptar-se à chegada das novas energias, que o conduzirão a um estado de consciência mais elevado.

Felizmente, como por acaso, foram desenvolvidas novas ferramentas, que são fáceis de utilizar, rápidas, eficientes e de realização por conta própria. São a EFT[66], a TAT[67], o zensight[68], a meditação, as aberturas temporais[69], os tratamentos energéticos[70], bem como, é claro, o Ho'oponopono.

Hoje, visto que os acontecimentos se dão cada vez mais rápido, nem sempre é necessário efetuar o protocolo completo (*"Sinto muito, perdão, obrigado, eu te amo"*) para obter resultado.

---

65 Eye Movement Desensitization and Reprocessing: técnica capaz de tratar informações dolorosas, como, p. ex., um choque traumático.

66 *Emotional Freedom Technic.*

67 *Tapas Acupressure Technique.*

68 Para mais informações, cf. o site de Sophie Merle: www.sophiemerle.com

69 Desenvolvidas pelo físico Jean-Pierre Garnier Malet. Cf. o livro *Mude seu futuro através das aberturas temporais.* [s.l.]: Reconoserse, 2012.

70 Cf. os tratamentos energéticos Premium® ensinados pelo Luc Bodin, em *workshops* abertos a todos.

Muitas vezes, basta simplesmente pedir para que seja apagada a memória errada que estiver relacionada a este ou aquele acontecimento que você estiver vivenciando. Portanto, a técnica evolui com o tempo e se torna cada vez mais rápida e eficiente.

No entanto, seria um equívoco pensar que é necessário apagar a parte sombria que existe em você para passar sem problemas pelo período de transição atual. Pelo contrário: o Ho'oponopono está aí para que você aceite a parte obscura de si mesmo e, assim, reconquiste a sua integralidade. Por esse caminho, você verá a dualidade desaparecer. Não haverá mais "bem", nem "mal". "Haverá", simplesmente. Você constatará então que a sua parte sombria, que você rejeitava com tanta obstinação, não era tão negativa quanto você pensava. Pelo contrário: ela é capaz de trazer o grande equilíbrio e plenitude que lhe faltaram durante tanto tempo!

Graças às novas energias, em um futuro próximo, o ser humano vai descobrir que é capaz de se governar sozinho, e assim, os dirigentes, religiosos, diretores, chefes, gurus... não serão mais úteis. O homem vai se conscientizar de suas imensas capacidades e desenvolver novas habilidades, tais como a intuição, a telepatia, a força do pensamento e o sentimento de pertencer a uma comunidade cósmica. A sociedade se verá completamente transformada. Ela se tornará mais humana e mais atenta ao desenvolvimento de cada um, com total respeito pelas suas diferenças, originalidades e aspirações[71].

71 Cf. livro *Préparez-vous au changement*, do Luc Bodin, que pode ser baixado gratuitamente ou comprado em formato papel no site http://www.luc-bodin.com/

O Ho'oponopono é um elemento essencial durante o período de transição atual. Ao apagar as suas memórias erradas, ele vai iluminar a sua mente e eliminar os bloqueios e pensamentos negativos que possam fazer você pensar que um futuro promissor não é possível (ou, no mínimo, pensar que ele não é possível para você).

Por isso, você pode dizer "Obrigado" ao Ho'oponopono por ele estar aí para ajudá-lo a se realizar e mudar o mundo – o seu mundo.

3
Ho'oponopono
Da espiritualidade à abundância

Nathalie Lamboy

Procure querer para os outros o que você deseja para si mesmo, tentando se parecer com o Cristo, e não com um cristão; com Maomé, e não com um muçulmano; com Buda, e não com um budista.
Dr. Wayne W. Dyer. *A força da intenção.*

Espiritual é a sua religião

Ao ler este título, que contém "espiritual" e "religião" na mesma frase, pode ser que um movimento descontrolado do seu braço derrube o livro no chão. É um risco que estou disposta a assumir, mesmo que isto o faça pular este capítulo, que eu tive o maior prazer em escrever!

Para muitos de vocês, é preciso confessar que a religião perdeu sua atratividade. Seja por causa de intolerância, comportamento extremo ou ainda apropriação de poder, os representantes religiosos encarnam cada vez menos a vida espiritual. No entanto, é de fato graças às religiões que se cultiva há tanto tempo a noção de espiritualidade. E, com ela, a natureza humana.

Será que é possível considerar os livros sagrados como um acesso à espiritualidade e os homens que contribuem para o conhecimento dos mesmos como simples mensageiros? Os padres e os monges, as freiras e os pastores, as madres e os sábios são, assim como você, seres humanos que estão vivendo a experiência deles nesta Terra. E você sabe, tanto quanto eu, que nem todo dia é fácil viver em adequação com os seus princípios.

Eu gostaria de ressaltar que fui criada por pais cartesianos, segundo os quais somente a ciência podia permitir salvar o mundo. Portanto, havia-se formado na minha mente uma crença que dizia que os microscópios e produtos químicos eram os únicos amigos da vida. Graças ao discernimento, constatei que os fatos não comprovavam inteiramente essa teoria. Foi assim que, ao longo dos anos, dos encontros e dos livros, pude descobrir as religiões e seus adeptos.

Não foi por falta de classificar as divindades na categoria dos mitos e contos, como os professores me haviam ensinado. Porém, elas iam se destacando um pouco mais toda vez que os textos descobertos me pareciam certos e relevantes. É por isso que o meu olhar sobre o mundo da religião é um tanto quanto singular, pois provém de uma exploradora da espiritualidade.

Certas pessoas dizem que as religiões permitiram que o homem se enganasse, pois ele entregou nas mãos de um "Todo-Poderoso" as graças e desgraças que lhe aconteciam aqui embaixo. Assim, admitia-se que você e eu éramos marionetes de um destino já estabelecido. Não adiantava fazer nada, apenas rezar para que ele não desabasse em cima da sua cabeça. Só que essa teoria esquece um detalhe importante: o livre-arbítrio. Nada é imutável nesta Terra, tudo pode mudar, basta *você* decidir. Você *sempre* tem escolha.

Pessoalmente, acho muito relaxante saber que eu posso dar palpite na minha vida. Além disso, ao descobrir que, efetivamente, a única constante deste Universo é que ele é inconstante, você respira fundo, pois sabe que o jogo vira e que a felicidade um dia cruzará o seu caminho. Os textos me haviam dado uma boa-nova.

Por Jesus ter sido crucificado para "nos salvar", o sacrifício pode parecer para os praticantes a melhor maneira de se redimir dos pecados que eles próprios e os outros cometeram. Por que não?

E se aquele homem, que sofreu até a morte, com os braços esticados e o coração em carne viva, representasse, em vez disso, aquela parte de si mesmo que você havia tido o cuidado de camuflar por baixo das tradições e proibições? Enxergue, naquele Cristo esfolado, o "Eu Profundo", que é como eu chamo aquela parte inconsciente que bate no mesmo ritmo que o seu coração e que foi torturada no altar da materialidade. Ela está simplesmente esperando que você a liberte.

O Eu Profundo está, à imagem de Cristo, em cada um de nós, pronto para irromper, e sabe que somente o amor pode salvar você. O único sofrimento que ele provoca é fazer você sentir que há algo maior do que a posse de um carro, de uma casa e de uma família: esta dor é a inexpressão da sua espiritualidade.

A Bíblia narra a ressurreição de Cristo, o que eu considero também como um sinal muito positivo. O Eu Profundo, aquele Cristo crucificado pelos medos, ressuscitou. Não deveríamos ver aí um exemplo da sua aptidão a ser o milagre da sua vida? Você pode deixar o que está no fundo do seu coração retomar vida, e a melhor ferramenta para conseguir isto é o amor.

Eu olho para a cruz e para Jesus pensando que um dia liberarei totalmente a minha aptidão, que é amar incondicionalmente tudo o que existe, fazendo desaparecer para sempre o sofrimento da cruz... da minha vida. Imagine se todos os seres humanos decidissem deixar sua voz divina falar? Fossem eles católicos, protestantes, muçulmanos, hinduístas... pouco importaria a religião, aliás. A partir desse momento, poderiam aparecer um outro símbolo nos templos e igrejas e – por que não? – um texto que dissesse: *"Obrigado, eu te amo"*.

Sonhar não arranca pedaço.

Ho'oponopono, reencarnação e família

Para quem, assim como eu, acredita em reencarnação, eu gostaria de dizer que encontrei na prática do Ho'oponopono um sentido para a presença de cada um nesta vida. Vou resumir aqui o princípio da reencarnação, tal como eu o entendo, no intuito de expor o meu raciocínio de forma mais fácil para você.

Tudo começa na concepção de si, o Eu Profundo, como eu o designo. Não se trata de conceber a si mesmo como um indivíduo feito de carne e osso, mas sim como uma "alma viajante", cuja aprendizagem se dá ao longo de várias vidas terrestres. Quando você se encontra no estado que precede a sua chegada à Terra, isto é, no estado de alma, você dispõe de uma visão global do Universo e do lugar que você deve ocupar nele. A compreensão e até mesmo o Conhecimento Absoluto se dão, pelo que parece, na experimentação da vida. E há algo melhor do que vir a este planetinha azul para receber a sua aprendizagem? É naquele momento que você escolhe reencarnar em um lugar e em uma família específicos, uma decisão que parece esquecida uma vez reencarnado aqui embaixo, mas que ressurge no dia em que você se conscientiza de que pode entrar em contato com o seu Eu Profundo, o qual você deixou de lado e que o liga à sua alma aventureira. Talvez você o tenha deixado de lado para reencontrá-lo melhor, aliás. Enfim, o contato foi estabelecido, seja através da meditação ou de um retorno à natureza. Você sente, no fundo de si mesmo, que veio até aqui com o objetivo de enriquecer, pela experiência, os seus conhecimentos. E, com um pouco de sorte, esta vida pode ser a última que você vai passar aqui... antes do grande salto em direção ao Nirvana.

Enquanto isso, é preciso viver com a família que você escolheu para si mesmo. Um pai ausente ou violento, uma mãe humilhante ou indiferente, um irmão detestável ou simplório e uma irmã chata ou maluca não são apenas a sua família, mas também a sua escolha para realizar no seio dela uma vida inteira. E como introduzir a compaixão no seu coração e aceitar essa escolha inacreditável que você fez ao decidir nascer em uma família tão violenta ou indiferente? Primeiro, "perdoando" a sua alma, o seu Eu Profundo, por ter decidido viver em meio àquelas pessoas. Trata-se simplesmente de agradecer a ela por ter realizado essa escolha. Nada como se perdoar com amor para, em seguida, poder perdoar os outros e, assim, impregnar-se de compaixão!

No conceito de reencarnação escolhida e desejada, a família é muito mais do que um reflexo da sua personalidade: ela é o espelho da sua alma.
E mais: ela é a mensageira e guardiã do que você vai aprender nesta Terra.

A escola da vida tem como turma principal "a família". É uma aula à qual você não pode faltar, pois, mesmo sendo órfão, é através da ausência dela que você vai aprender tudo.

Para certas pessoas, é a aprendizagem do desapego emocional, para outras, é aprender a não alimentar expectativas. Não importa a quantidade de vidas que você passará tentando: a aprendizagem levará o tempo necessário para a sua compreensão.

Quando eu me conscientizei plenamente que a minha escolha familiar havia sido guiada desta forma, percebi que precisava parar de lutar contra ela, de lutar contra mim mesma. Os ressentimentos, rancores, decepções e expectativas que eu havia acumulado com relação aos meus pais foram pouco a pouco perdendo substância. Eu devia finalmente confessar a mim mesma que ter reencarnado em meio àquelas pessoas me havia permitido entender tantas coisas que eu não podia achar lugar melhor para evoluir. Utilizando palavras tão simples quanto *"Obrigada, eu te amo"* diante das dificuldades que eu encontrava com os meus entes queridos, eu sentia plenamente essa gratidão. Gratidão perante o meu pai, a minha mãe, o meu irmão e também a mim mesma. Acho que fiz um pouco mais do que aceitar a minha escolha de ter nascido naquela família, eu aprendi até a amar a parte de mim mesma que havia feito tal escolha. Eu comecei a me amar.

A prática do Ho'oponopono é uma maneira de acelerar o processo de aceitação da sua condição humana para, depois, receber a aprendizagem necessária à evolução da sua alma ou Eu Profundo.

Ao me reencarnar aqui, nesta época, eu certamente quis participar dessa descoberta do amor-próprio, ou melhor, eu talvez tenha desejado vivê-la plenamente para atingir o estágio supremo da evolução da alma. Pouco importa a razão, na verdade, porque eu me sinto bem quando pratico o Ho'oponopono e aceito a minha vida aqui embaixo com os meus entes queridos. O que mais eu posso querer, a não ser continuar assim?

Você tem a oportunidade de aprender a amar graças aos seus entes queridos. Quer você acredite ou não em reencarnação, a família está aí para lhe ensinar a amar a parte de si mesmo que você tanto deprecia. Ela é o reflexo do que você busca esconder no fundo do seu coração. É uma mensageira do seu Eu Profundo.

Você já reparou que os comentários dos seus entes queridos sempre alfinetam o ponto que mais machuca? Talvez porque eles o conhecem bem ou mais provavelmente porque você criou junto com eles a situação que os levou ao conflito em questão. Você é o criador da situação. Você instaurou tudo o que era preciso para que as memórias que estavam latentes dentro de si fossem reveladas à luz do dia, no intuito de limpá-las. O seu pai ou a sua mãe só fizeram atender a essa necessidade e transmitir a mensagem ao seu Eu Profundo.

Então, por que não aproveitar almoços de família para fazer uma faxina geral? Isto é, aliás, bastante prático. Em vez de eliminar as memórias erradas durante várias semanas ou vários meses, você pode limpá-las ao máximo em apenas algumas horas. Não estou dizendo para você reunir a família somente com o objetivo de resolver os conflitos atuais ou passados, mas simplesmente aproveitar um aniversário ou casamento para visar as emoções que surgem dentro de si diante do Tio Roberto ou do Primo Marcelo. Trata-se de deixá-las vir à tona e reconhecê-las.

"Quando estou com a minha Tia Josiane, ela sempre me fala dos problemas de dinheiro que está enfrentando. E isto me irrita toda vez! Tenho impressão de que ela acha que eu sou 'cheia da grana'." A interpretação das palavras da Tia Josiane certamente está errada, mas a emoção que você sente é bem real. É nesse exato momento que você pode "acionar" o processo do Ho'oponopono. *"Perdão, sinto muito por ter provocado este encontro. Obrigada, Tia Josiane, por ter feito vir à tona esta minha memória errada. Eu te amo, ó mensageira, que faz parte de mim... e da minha família."*

O mesmo ocorre quando você está diante da sua irmã, em quem acabaram de detectar um câncer e que continua fumando um cigarro atrás do outro. É inútil ficar com raiva ou manifestar a sua preocupação, pois você tem uma ferramenta maravilhosa à sua disposição: *"Sinto muito, obrigada, eu te amo"*. Repita tantas vezes quanto necessário e depois envie amor à sua irmã. Quando o juízo de valor desaparece e a preocupação se atenua, torna-se possível comunicar-se e agir em conjunto para que a doença não seja mais um fardo para todos.

Quando o processo do amor é ativado, ele irradia por toda parte ao seu redor. Todos os seus parentes, amigos e conhecidos sentirão esta paz, e os comentários mudarão de rumo, indo em direção ao respeito. O espelho que é a sua família pode se tornar o reflexo do amor, o sentimento ao qual você está se conectando.

A sua alma selecionou as melhores ferramentas de desenvolvimento pessoal: os seus filhos, pais, avós, irmãos, irmãs, tios e tias. Então, utilize-os! Eles estão aí para fazer você crescer!

Surpresa!

Vou lhe dar aqui uma dica que me ajudou muito a parar de alimentar expectativas quando eu comecei a praticar o Ho'oponopono. A cada limpeza, eu dizia: *"Sinto muito, perdão, obrigada, eu te amo... surpresa!"*

"Surpresa!" servia para indicar à minha mente que algo ia acontecer, era óbvio, mas que ela devia deixar as coisas seguirem o rumo delas. Eu não tinha nenhuma ideia de como aquilo ia acontecer comigo, nem onde, nem quando, nem o quê... Uma surpresa da vida ia chegar após a limpeza que eu havia acabado de fazer: esta era a minha única convicção. O ego ficava contente e ocupado ao ouvir a palavra "surpresa", o que dava ao meu Eu Profundo tempo suficiente para me preparar para algo inesperado. Era tiro e queda: presentes tão variados quanto surpreendentes sempre chegavam até mim.

Hoje, eu não sinto mais a necessidade de dizer "surpresa". Já entendi que posso ter total confiança e ficar sem expectativas. O espanto ainda permanece. E é cada vez mais óbvia somente a certeza de que é sempre a melhor solução que me aparece.

Budismo, sempre

O Dr. Len menciona o estado zero como objetivo da prática do Ho'oponopono. O equivalente desse estado, na minha opinião, é a vacuidade do budismo. No ensinamento budista, um dos objetivos é alcançar um estado de vazio, pois é ele que permite acolher a inspiração. É necessário compreender a vantagem de atingir a vacuidade e ver como o Ho'oponopono pode trazer uma ajuda valiosa.

Esvaziar a mente, tudo bem. Mas por quê?

Vou começar falando daquela vozinha que canta dentro da sua cabeça refrãos lancinantes e nem sempre positivos. Trata-se da mente. Ela entra em ação na primeira oportunidade, isto é, o tempo todo! Aliás, esta tal de mente é incrível! Ela tem resposta para tudo e é a maior sabichona. Mesmo se o que ela diz estiver errado ou nunca tiver sido verificado, ela vai em frente e diz. Eu a considero como uma criança que quer se gabar diante dos amiguinhos contando histórias ouvidas da boca de adultos e cujo verdadeiro significado ela não conhece. Ela fala o tempo inteiro, chegando a ponto de fugir do tema.

É assim que um fluxo contínuo de crenças adquire forma e inunda a sua cabeça. Desde a infância, quando a sua mente absorvia, em primeiro lugar, as palavras das pessoas que o estavam criando e, depois, ao longo dos anos, essa mente espreita tudo o que possa confirmar o que lhe foi contado. Ela registra os novos dados no disco rígido das suas crenças, que, em seguida, ela repete incessantemente.

A mente faz uma seleção das informações que você recebe e, quando algumas delas são descartadas, é o seu inconsciente que as recupera. O seu Eu Profundo está ligado ao seu inconsciente e, por isto, pode agitar bandeiras para chamar a sua atenção em caso de “erro do sistema”, ou seja, caso sejam recebidas crenças erradas. Em geral, ele utiliza sonhos e intuições, duas ferramentas que a mente havia, entretanto, tomado o cuidado de desviar de você. Portanto, quando crenças erradas são recebidas pelo seu Eu Profundo, há uma reação imediata que não necessariamente é perceptível por você, visto que a sua mente vive tagarelando. Pesadelos podem ser sinais muito reveladores. Ocorre uma “falha” no seu sistema de crenças, e você nem repara.

O seu inconsciente ou Eu Profundo faz das tripas coração para fazer você entender que tem um vírus ali. Ele toca todos os apitos de alarme, chegando até mesmo a provocar incidentes graves para que você faça uma formatação/limpeza das suas crenças.

Mais concretamente, a mente é quem fica martelando na sua cabeça que é preciso sofrer para ser bonita, que dinheiro só se ganha com suor, que os ricos são ladrões, que as doenças estão aí unicamente para fazer você sofrer... todas aquelas frases banais que o levam a pensar que você não merece ser feliz, que não vale a pena viver e que, aliás, você não tem nenhum valor, visto que acabou de ser demitido do seu emprego. Na verdade, é uma espécie de pássaro de mau agouro criado por conta própria e para si mesmo.

Acho que você está começando a entender aonde eu quero chegar. Não seria útil calar a criança mimada que é a sua mente para destacar os aspectos positivos que existem em você?

Pode ser que, por trás do bater das asas negras da sua mente, escondam-se as suas aspirações mais profundas, aquelas que mostram a sua beleza interior e o seu verdadeiro valor.

A vacuidade ou vazio de que fala o Dr. Len é o que possibilita escutar e seguir o verdadeiro caminho: a Divindade que existe em você, que lhe permite se realizar e lhe mostra que a sua demissão vai lhe proporcionar a concretização do seu sonho, como, por exemplo, ser guia de montanha ou professor de crianças deficientes. Esse caminho o leva também a olhar o seu rosto e o seu corpo como uma maravilha de realização, na qual a complexidade da montagem de simples células deu esse resultado incrível – e assim ver, em cada ser vivo, a mesma elaboração maravilhosa da vida. Graças ao seu vazio interior, você finalmente compreenderá que o Universo é abundância e que há de tudo em profusão para todos. Você saberá que merece ser feliz.

Então, diante de cada frase negativa que sair da cartola da sua mente, agite a sua varinha Ho'oponopono e transforme-a em pomba branca, esticando as asas do amor e da gratidão. O vazio que resultará disto dará lugar à paz, emoção pura que gera alegria de viver.

A mente, uma vez colocada "em repouso" ou em uma paz significativa, dá assim a você a possibilidade de ficar totalmente receptivo às oportunidades que se apresentarem na sua vida. Quando a mente diz permanentemente: "Só há miséria nesta Terra!", você, de fato, só enxerga miséria e esquece de escutar o mendigo com o qual acabou de cruzar e que precisava, acima de tudo, de atenção. Quando a mente reitera: "Eu não consigo nada", você lhe dá razão não entrando em ação quando surge uma oportunidade ou preferindo esperar, em vez de suscitar acontecimentos positivos. É por isso que não há nada como esvaziar a mente para dar lugar a todas as possibilidades! Esvaziar a mente é permitir que a ação divina chegue por intermédio seu. Você age com um guia mais atento às suas necessidades. E como esvaziar a mente, a não ser limpando as crenças acumuladas inúmeras vezes?

Como esvaziar a mente

Eis uma historinha contada pelo Dr. Wayne W. Dyer. Ela pode lhe permitir memorizar de uma vez por todas a vantagem de utilizar a limpeza, isto é, o Ho'oponopono, para esvaziar a mente.

O Mestre diz ao discípulo: *"Você deve esvaziar a mente"*.

O discípulo responde que não sabe como fazer.

– *O que você faz depois de comer?* – pergunta então o Mestre.

– *A digestão* – retruca o discípulo.

– *Não* – refuta o Mestre –, *você lava a louça!*

Em todo caso, para mim foi uma revelação... cheia de bom--senso e humor.

Aqui e agora

Um outro fator que aproxima essa técnica dos ensinamentos budistas é o fato de que cada instante é um pretexto para praticar o Ho'oponopono e, por conseguinte, viver o momento presente, aqui e agora. Quando você sofre um trauma e toma o cuidado de fazer uma limpeza logo em seguida, você está vivendo o momento presente. Quando você fica chateado por causa de uma notícia que perturba a sua mente e faz uma limpeza, você está vivendo o momento presente.

O futuro é conjectura, o passado já foi... ultrapassado. Só o momento presente conta.

Em vez de imaginar o pior ao ouvir a sua vizinha comentar com o marido sobre a falta de combustível no posto de gasolina da sua cidade, limpe as memórias que se ativaram naquele momento. Assim, você evitará pensar no cancelamento da sua viagem de carro, que estava prevista para o dia seguinte, o que então impediria você de visitar os seus filhos. Nesse caso, você está fazendo conjecturas, isto é, imaginando o futuro. Mas você também pode se lembrar da última greve dos postos de gasolina, que havia igualmente estrangulado o fornecimento dos seus postos preferidos. E, aí, você está recordando o passado. Para se manter no presente, aqui e agora, limpe os medos que o oprimem, dizendo simplesmente: *"Perdão, obrigado, eu te amo"* e deixe a calma se instaurar em você. Você poderá, assim, escutar o resto da conversa, que lhe informará que se tratava de um problema técnico e que a escassez só havia durado duas horas, tempo necessário para recolocar as bombas em serviço.

Como acabei de descrever nessa historinha, a vantagem de viver o momento presente é permanecer em contato com a realidade, longe dos pensamentos negativos. Estes últimos surgem quando você está recordando o passado (as experiências terminadas) ou especulando sobre o futuro (elucubrações descontroladas da mente). Contrariamente às ideias prontas, você não está sendo realista quando se refere a dados obsoletos ou imaginados. Você está no real quando escuta aqui e agora todas as informações que chegam nesse instante e que lhe dão a integralidade das informações.

O mesmo vale quando você se identifica ao seu passado profissional: *"Eu sou um executivo aposentado"*. É como se você vivesse com um pé no mundo do passado. Você só existe pela metade.

"Antigamente, as crianças respeitavam os mais velhos. Ah, os velhos tempos!": você vive com nostalgia, viaja em um passado idealizado. Torna-se muito mais difícil ver os bons lados da sua vida atual quando a sua cabeça permanece no passado.

"Os chefes não são mais tão compreensivos quanto antes": você vai trabalhar remoendo as vantagens que perdeu desde a fusão da sua empresa. Você continua no passado, não enxergando mais as oportunidades que se abrem para si mesmo, focalizando-se apenas nas demissões que se sucederam. Tudo isto é provocado porque você não está vivendo o momento presente, não está ligado ao seu Eu Profundo, que faz parte da realidade.

Ao se fixar no presente, você se torna realista. Longe das apreensões e dos medos, você entra na realidade do momento. As experiências do passado retomam o lugar histórico delas, ficando guardadas nas gavetas da memória. Elas desempenharam um papel em determinado momento e permitiram que você se construísse.

O pensamento que você cria de cabo a rabo pode se tornar uma realidade. Esse poder da mente é reconhecido hoje por muitos filósofos e cientistas. É por isso que é importante controlar a qualidade dele. Quanto melhor o tipo de pensamento, melhor será o seu futuro. E, se você ainda duvida da sua capacidade de criar um amanhã radiante para si mesmo, deixe agir o seu inconsciente ou Eu Profundo. Para ajudá-lo a se afastar das apreensões, medos e angústias, utilize a limpeza, ativando o Ho'oponopono. Eu diria inclusive que, neste caso, ele deve ser consumido sem moderação.

O passado não é a sua vida, mas sim uma pedra dentre tantas outras que serviram para o seu progresso. Quanto ao futuro, ele está, antes de tudo, no seu imaginário, antes de adquirir forma.

Compaixão de amor

Com o Ho'oponopono, você é levado a olhar para cada detalhe da sua vida de maneira mais intensa e com muito mais amor e compaixão. Este é outro caminho que se aproxima da religião.

"Obrigado, eu te amo" é um mantra muito simples de recitar. Essas palavras também permitem entrar em contato com o Divino, com a sua Divindade. Pronunciando essas palavras, eu percebi igualmente a que ponto a repetição podia ser eficiente e entendi qual era a vantagem de repetir orações infinitamente. É uma forma de alcançar um automatismo do cérebro, um meio de ocupar a mente e imprimir nela, de tanto repetir, uma ideia nova. Mesmo assim, mantenha-se vigilante, pois as palavras podem ter um duplo sentido. É o que demonstra a língua dos pássaros[72]: o seu inconsciente pode entender uma palavra

72 Literalmente, a expressão francesa "*langue des oiseaux*" se refere uma linguagem simbólica que brinca com sonoridades e trocadilhos. Porém, trata-se

de várias maneiras. *"O cérebro é um demente a vagar dentro da mente devagar"*: eis um exemplo para entender como é fácil, para o seu inconsciente, reinterpretar as frases do dia a dia – as orações não fogem à regra.

Hoje, quando a minha mente se põe a galopar diante de um acontecimento, tenho essa ferramenta de limpeza que se aciona sozinha e entra em perfeita adequação com as minhas convicções. É a primeira técnica que eu utilizo com tanta facilidade. Acho que é porque as palavras *"Perdão, obrigado, eu te amo"* oferecem poucas possibilidades de erros interpretativos.

Começando com *"Perdão"*, é através da entrega de si mesmo, o seu verdadeiro valor, que você estabelece uma conversa com o seu Eu Profundo.

"Obrigado" lhe dá confiança, colocando-o à mercê da vida e da fé na vida. Essa palavra é mais forte do que a gratidão. Gratidão pelo tempo presente, pelo tempo passado ou pelo tempo futuro. Obrigado a tudo o que vive, às pessoas, aos animais, à natureza, à Terra e às suas criações. Isso mesmo, você tem um grande talento criativo.

"Eu te amo" é uma frase na qual o sujeito anda lado a lado com o termo "amor", que, por sua vez, está ligado a "ti". Tem o "eu", EUforia e apogEU, que se regozija, que é "meu" e que é profundo. Tem o "te", o outro, meu espelho, meu próprio reflexo, minha própria natureza. Quanto a "amo", é o mais belo senhor, o mais justo amo a quem eu devo obediência, bálsAMO da alma.

---

também de uma "linguagem do inconsciente, das imagens arcaicas e dos símbolos, [através das quais] os pajés não só comunicam-se entre si, como têm as visões reveladoras daquilo que buscam, seja a cura de doenças ou até mesmo para finalidades maléficas. Essa linguagem do sonho é referida por eles como a língua das aves por ser uma linguagem de canto e invocação". Fonte: ARAÚJO, C.L.S. *A alma ameríndia:* uma leitura junguiana do mito Makunaima. Juiz de Fora: UFJF [Disponível em http://www.ufjf.br/darandina/files/2010/12/A-alma-amer%C3%ADndia-uma-leitura-junguiana-do-mito-makunaima1.pdf – Acesso em fev./2016[[N.T.].

"Obrigado, eu te amo" é uma oração invisível, dita lá no fundo do seu coração, para si mesmo, a pessoa que você mais esquece no seu cotidiano... e, se essas não forem palavras que podem consolidar você no melhor da vida, em todo caso elas parecem muito ter esse poder.

Ser cristão

Esses princípios fundamentais do amor se encontram, obviamente, na religião cristã. Eu gostaria, primeiro, de citar a seguinte frase: *"Ame o teu próximo como a ti mesmo"*. Trata-se aqui de relembrar que o outro é o espelho da sua vida e também de demonstrar que você e eu estamos unidos pelo laço sagrado do amor.

Amar a si mesmo

Porém, é difícil dar aos outros o que você não possui. Preencher-se de amor é amar a humanidade que existe em você, todo aquele conjunto complexo que é capaz tanto de fazer sofrer quanto de tornar feliz. A ausência de juízo de valor pode ser um caminho para ter acesso a esse sentimento de paz. E, com o Ho'oponopono, você dispõe de uma ferramenta para limpar todo tipo de juízo de valor.

Quando você julga as suas próprias ações tratando a si mesmo de "idiota" ou "imbecil", quando você derrama o seu café na sua camisa logo antes de sair para o trabalho, você baixa o seu nível vibratório e se torna, desta forma, cada vez mais sensível às agressões exteriores. A desvalorização dos seus próprios atos no cotidiano gera um enfraquecimento do seu sistema imunitário e da sua energia.

Considere, ao contrário, os pequenos acidentes da vida como mensagens pessoais, que lhe lembram que você não dá atenção suficiente a si mesmo.

Em vez de ler ou escutar as más notícias do jornal enquanto toma o café da manhã, você poderia desfrutar desse momento relaxante pensando em fatores positivos e começar o dia com o pé direito. Concentre-se no que está acontecendo pela janela da sua cozinha, examine a forma das nuvens pela manhã, observe a vida despertando na sua rua. Tire um tempo para apreciar esse instante.

Ao transformar os acidentes do cotidiano em gratidão perante a vida, perante Deus, você envia amor a si mesmo. E, ao se preencher de amor, você se torna transmissor de amor para todos aqueles que cruzam o seu caminho.

Então, quando a torrada cair no chão com o lado da geleia para baixo, quando o botão da camisa se arrebenta, quando a xícara é derrubada e quando não tem mais leite na geladeira, envie amor a si mesmo: *"Perdão, obrigado, eu te amo"*.

Perdoar

O outro elemento que sempre vem à tona com o Ho'oponopono é a noção de perdoar todo ato que é feito contra você. Um pouco como oferecer a face direita depois que a esquerda foi agredida: trata-se aqui de utilizar os "tapas" que a vida lhe dá como pretextos para limpar as suas memórias erradas. Mas nem por isso o mensageiro está isento de prestar contas. Perdoar é admitir ter dentro de si essa violência e reconhecer que é necessário se separar dela para seguir em frente. Perdoar é dar ao outro, tanto quanto a si mesmo, a oportunidade de redescobrir o caminho do amor.

O perdão é diferente da submissão.

Quando arrancam o colar de uma moça em plena rua enquanto ela está voltando para casa, há um choque. Praticar o Ho'oponopono pode parecer fora de propósito nesse caso, mas pense no medo que invade a pessoa naquele exato momento. Com frequência, segue-se um forte sentimento de culpa na vítima. E é dessas emoções que é preciso se desprender para reagir da forma mais adequada possível à situação.

Quando você permanece com medo, não ousa mais sair de casa. Quando fica se culpando, não ousa prestar queixa. O simples fato de dizer *"Perdão, obrigado, eu te amo"* lhe dá a possibilidade de restaurar a calma e se recuperar do choque. Você pode dizer o seguinte: *"Perdão por ter provocado a tentação ostentando esta joia, perdão por eu ter deixado me roubarem, perdão por ter pegado a rua errada... Obrigada por ter feito vir à tona a memória de fragilidade, impotência, raiva... Eu te amo, parte de mim que criou esta situação"*.

Perdoe-se por ter sido obrigado a criar esta situação, no intuito de revelar as suas memórias para apagá-las. Perdoe o Universo por ter sido cúmplice, perdoe aquele homem por ter sido um mensageiro doloroso. E, sobretudo, envie amor a si mesmo e ao Universo.

Você pode, em seguida, ir à delegacia de polícia declarar a agressão sem omitir nenhum detalhe ao descrever o ladrão. Alguns de vocês podem pensar que não é necessariamente útil ir prestar queixa quando a limpeza foi bem-feita, o que com certeza é verdade. Mas eu também penso que, se o ladrão for pego, ele poderá, por sua vez, praticar o Ho'oponopono diante dos policiais!

Quando você tem a impressão de estar vivendo uma situação tão violenta que você só pensa em resolver o problema sob o jugo da raiva, esquecendo a noção de perdão, pode encontrar obstáculos cada vez mais difíceis de superar.

Pequena ilustração

São 9 horas da manhã, você está atrasado para o seu compromisso e decide tomar um atalho. De repente, você vê um sinal vermelho e pisa brutalmente no freio. Um violento solavanco faz você se sobressaltar no assento do motorista. O seu carro acaba de ser atingido na traseira por um automobilista. Você sai furioso do seu veículo para constatar os danos. Ao ver a sua raiva diante do para-choque amassado, o "barbeiro" decide não ficar passivo e começa a gritar também. As cabeças estão tão quentes que nenhum dos dois percebe o engarrafamento que vai se formando. Os outros automobilistas buzinam, vociferam, e é impossível registrar a ocorrência, pois o seu interlocutor se recusa a entrar em contato com o seguro dele por um estrago tão pequeno. A coisa fica feia, e a polícia é chamada como reforço, obrigando-o a apresentar os seus documentos, dos quais nem todos estão em ordem. A pessoa com quem você tinha marcado compromisso já está esperando há mais de uma hora quando você telefona para ela, com os nervos à flor da pele.

Talvez, se tivesse manifestado um pouco de compaixão nessa adversidade, você teria entendido que o seu jeito brusco de dirigir fez com que o outro motorista, que freou um pouco tarde, também sentisse medo, que vocês poderiam discutir calmamente sobre o assunto no acostamento e considerar consertos de forma amigável com um mecânico de confiança, no intuito de evitar um encarecimento do seguro dele. Depois, com a maior calma, você avisaria à pessoa com quem tinha um compromisso que chegaria dali a alguns minutos, que era só o tempo de anotar na sua agenda para atualizar os seus documentos.

O espelho da sua vida pode adquirir todas as formas: daí a vantagem de respeitar aqueles que o confrontam com os acontecimentos. O perdão é uma ferramenta formidável para se recolocar no caminho do amor. Principalmente utilizando a fórmula mágica em que o perdão anda lado a lado com o amor, você já sabe que é aí que você vai entrar: *"Perdão por ter provocado esta situação, obrigado por ter despertado esta memória para me permitir apagá-la, eu te amo, mensageiro"*.

Como cristão, quando você pede para ser perdoado assim como perdoa aqueles que o ofenderam, o Ho'oponopono é de grande ajuda para ter esse reflexo de sabedoria. Para os não cristãos, o perdão é a chave que serve para abrir as portas do amor.

Um pouco de islã

O Profeta deu aos homens as regras para viver com respeito por Deus. Dentre elas, figura uma que pede para não representar sua imagem, nem a das criaturas da Terra. Assim se explica a presença daqueles magníficos afrescos e arabescos que ornamentam os monumentos religiosos muçulmanos. A imaginação dos artistas é tão fértil que, quando o olhar pousa em uma de suas realizações, ela o incita à meditação contemplativa. Talvez seja por essa razão que as mesquitas são tão inspiradoras! Não há ídolos nos quais o ego poderia se perder, mas simplesmente uma introspecção para se conectar melhor ao Divino. E, nas casas dos praticantes dessa fé, nas quais nenhuma imagem vem distrair a mente, pode parecer mais fácil admirar o verdadeiro espelho, que é o de Deus. Pois é realmente Ele que dá sentido à vida.

Todos espirituais

Também vejo nessa ausência uma grande presença e até mesmo uma coisa essencial para a nossa compreensão. É que Deus não tem limites. Nenhuma forma, nenhuma dimensão, nenhum lugar pode representá-lo. Nenhum material pode se identificar a Ele.

Vou ainda mais longe ao acrescentar que, assim como Deus não pode ser representado, o mesmo vale para o homem e todas as criaturas da Terra. Não se deveria enxergar nessa metáfora uma definição mais nobre do ser humano? Estou querendo falar da nossa Divindade imaterial. Ela existe em cada um de nós. Não somos unicamente corpos físicos, somos muito mais do que isso: somos espirituais. As criaturas e o Criador estão unidos nessa energia universal. É como tal que você circula por este mundo.

> *Você é um ser divino no sentido mais magnífico do termo. Você é muito mais do que uma profissão, mais do que o papel de pai ou de mãe, mais do que a doença que o assola, você é uma parte de Deus.*

Nesse âmbito, o Ho'oponopono abre as portas para essa incrível descoberta da natureza humana. Ele não somente o obriga a se olhar por dentro, mas também lhe pede para dar toda a gratidão e o amor que você merece enquanto tal.

Reencontrar seus pontos de referência

Quando eu andava pelas ruas de Marraquexe e ouvia o chamado para a oração, não conseguia me impedir de sorrir. Cinco vezes por dia, eu lembrava que era verdadeiramente um ser espiritual. Cinco vezes por dia, eu me reconectava à minha Divindade Interior. Cinco vezes por dia, alcançava a paz.

Hoje, as nossas igrejas não tocam mais os sinos da espiritualidade. A sociedade moderna decidiu transformar esses chamados em ferramentas de comunicação que incitam você ao consumo e o fazem esquecer a sua verdadeira vocação.

Sob pretexto de laicidade, o Divino que faz parte de você foi camuflado, e é por causa dessa falta de contato que lhe vem aquela irreprimível vontade de preencher o seu apartamento. Você substituiu o amor pelo prazer, um sentimento que não dura e que você cultiva através de geringonças tecnológicas e romances efêmeros. Os anúncios publicitários e o telejornal substituem o soar dos sinos da igreja, a cidade vive no ritmo do virtual. Como reencontrar os seus pontos de referência espirituais em um mundo no qual tudo é comandado a distância, por controle remoto?

Há várias maneiras de estabelecer uma comunicação com a sua parte divina; as religiões constituem um dos caminhos, mas existem muitos outros. Para redescobrir a sua verdadeira natureza, você pode utilizar tudo o que o remete ao melhor de si mesmo. É inútil procurar se comparar com os ideais criados de cabo a rabo pela mídia: você é, ao mesmo tempo, único e intensamente ligado a todas as outras criaturas do Universo. Lembre-se apenas de que esse laço é divino, sendo um laço de amor. Os outros têm o mesmo tanto de amor dentro de si, eles são tão espirituais quanto você, inclusive aquele seu vizinho que grita na janela às duas horas da manhã. É somente que, colocando-se na matéria, essa vibração de amor quis dar uma chance de existir a todas as partículas de vida. Então, essas partículas se entrechocam no grande caos terrestre. No entanto, elas têm o poder de emitir em uníssono um canto de paz. E, para conseguir isso, devem reencontrar o caminho espiritual delas. É para redirigi-las a esse caminho que você pode utilizar chamados ao amor como *"Perdão, obrigado, eu te amo"*.

Criaturas criativas

"O século XXI será espiritual ou não será". Uma frase que adquire todo o seu sentido neste momento em que estou escrevendo estas poucas linhas, pois as prateleiras das livrarias estão lotadas de experiências espirituais de homens e mulheres em busca da Divindade deles. Há cada vez mais pessoas enxergando este mundo de outra forma. Elas compreendem

hoje que não basta combater uma instituição, que a sede de poder nunca é saciada no mundo material e que é preciso ir mais longe.

As pessoas também já perceberam que tudo o que existe vem dos pensamentos: pensamentos que outros emitiram antes delas e que adquirem forma hoje em dia. Toda invenção nasceu primeiro na mente de um indivíduo antes de chegar às suas mãos. As suas ideias são igualmente fortes. Elas vivem inicialmente na sua mente, antes de surgirem diante dos olhos de todos. É aí que está todo o nosso poder criador. Você criou este mundo. Deu vida a todas estas contradições. É a razão pela qual você deve parar de ficar julgando o que o cerca. Você criou o que há de melhor para a sua evolução – a prova disso é que, quando você está com um problema, este último só envolve você e mais ninguém.

E se a verdadeira exploração que o ser humano deveria fazer neste planeta fosse visitar as profundezas da sua alma, os confins do seu ser interior com capacidades infinitas?

Essa noção pode parecer difícil de aceitar, mas posso jurar a você que ela é muito real e também muito reconfortante. Assim que você entende que é o agente ativo da sua vida, no sentido mais vasto do termo, isto é, que as suas ações têm uma real incidência neste mundo, então você deixa de ser vítima. Abandona esse papel de criatura impotente e submissa aos acontecimentos. Entra em uma dimensão na qual tudo, absolutamente tudo, é possível!

A extensão desse possível é tão vasta quanto o Universo, e o Universo é muito grande!

O que está no exterior vem do interior

Vou retomar a minha viagem indo ao continente das culturas asiáticas com o *feng shui*. Relembrando: os geomancistas que praticam essa arte ancestral chinesa utilizam a energia *qi* para melhorar a vida material e espiritual. A *qi* circula em todo o Universo e liga todos os indivíduos entre si. Isso certamente lhe lembra alguma coisa, não é?

Essa energia universal que penetra nos corpos e pensamentos acaba sendo impregnada, ao longo do caminho, pelas variadas formas que a natureza coloca em sua trajetória. Ela se modifica em termos de qualidade e em função dos lugares e da orientação. Basta um sábio cálculo para determinar o tipo de *qi* que entra na sua casa e utilizar os cinco elementos para trazer harmonia ao seu lar.

O preceito *"o que está no exterior vem do interior"* é, porém, uma interpretação ocidental dessa arte. Para os puristas em *feng shui* tradicional, é o ambiente que influencia o homem, e não o contrário. A energia *qi* circula no ambiente, e os elementos naturais (montanhas, rios) compõem o "relevo" energético do lugar. Para extrair as melhores influências, o homem dispõe dos elementos água, metal, fogo, terra e madeira para fortalecer ou diminuir o poder do *yin* e do *yang*. Dessa maneira, a *qi* permite que os habitantes preservem a própria energia. Os efeitos dos cinco elementos estão aí para otimizar e compensar os pontos fracos do habitat deles.

A minha experiência de consultora em *feng shui* me permitiu fazer a seguinte constatação: eu e você influenciamos o ambiente. Uma verdadeira interação se dá entre os habitantes e o lugar. Minhas observações me permitiram compreender a que ponto cada um é 100% criador. Esse é um fantástico ponto em comum com o conceito do Ho'oponopono. Sem esquecer que, tanto no *feng shui* quanto na vida, o que foi feito pode ser desfeito.

Criadores de interiores

A criatividade no ambiente age assim que você personaliza um lugar.

Decorar é uma maneira de criar, de inventar uma atmosfera. Para isso, você coloca tudo o que você adora: é o que eu chamo de decor-ador-ação. Essa prática diz respeito tanto ao seu domicílio quanto ao seu local de trabalho. Os bibelôs, os móveis, a cor das paredes e das cortinas, a escolha da função de cada cômodo, a maneira como você os organiza, tudo isso é criação.

No jardim, é a mesma coisa: as flores e árvores que você planta, os legumes e frutas que cultiva e os espaços que escolhe para eles são formas de criar um quadro ao seu redor.

Você é o artista, o pintor da sua vida, a casa é a tela, os objetos são os tubos de tinta que você mistura uns com os outros, e as suas mãos aplicam cada pincelada assim como um pincel faria.

E, como você organiza o lugar recorrendo à sua cultura, tradições, vontades e sonhos, você exibe claramente para o mundo o que possui dentro de si. É por isso que tudo o que o cerca vem do seu "interior".

Eu gostaria de acrescentar que o fato de selecionar um apartamento em vez de outro, comprar uma loja ou um escritório para lançar um negócio ou ainda investir em uma casa de praia constitui escolhas que também fazem parte da sutil equação da criatividade. Certas pessoas falam de amor à primeira vista ou boa relação custo/benefício, elementos que sempre são muito subjetivos e cujo valor só você vai decidir. Mais uma vez, você é o agente ativo e criador dessa decisão.

Quando você planeja ir morar em um espaço, é com os seus próprios critérios do momento que faz essa seleção. Também é revelador morar na Rua da Caridade ou na Avenida da Liberdade. O endereço postal, longe de ser inofensivo, pode ser revelador do que o inconsciente deseja transmitir a você. Aqui, mais uma vez, você cria os indícios necessários à compreensão da transformação que você veio encontrar.

Você tem tanta tendência a pensar que não exerce nenhum poder sobre o que o cerca que acaba esquecendo a que ponto você produz um verdadeiro impacto no mundo exterior. Estou falando da sua casa, é claro, mas o mesmo vale para a cidade na qual você decidiu morar, a sua região, o seu país e até mesmo o seu planeta. Você dispõe de um grande poder, que você nem imagina!

Faço questão de ressaltar também que você é um excelente criador, que gera criações perfeitas. A casa, região ou país no qual você decidiu viver lhe convém perfeitamente. No entanto, é difícil acreditar nessa perfeição em termos de escolha de residência quando catástrofes parecem se suceder desde que você foi morar lá. E como admitir essa teoria quando os vizinhos de porta são estudantes cuja vida noturna e musical perfura as paredes do seu apartamento? O que dizer também quando cheiros horríveis provêm da usina de tratamento de esgoto e invadem o seu escritório alguns dias apenas após você ter finalizado a compra do local? Tudo isso suscita o maior ceticismo quanto à sua capacidade criadora, e um sentimento de culpa pode então aflorar.

A parte mais difícil consiste em aceitar esses fenômenos como ferramentas de evolução, e não obstáculos insuperáveis e injustos. O Ho'oponopono está aí para ajudar você a recolocar tais acontecimentos no devido lugar, afastando-os da sua tendência a se comportar como vítima e, portanto, reassumindo o seu papel de agente ativo-criador.

Os sinais que perturbam o seu cotidiano são descargas elétricas para fazer você reagir e reconquistar a essência propriamente dita da sua vida.

Acidentes domésticos talvez sejam anunciadores de que você precisa se desapegar do lado material e se concentrar na sua realização interior.

Será que os vizinhos ensurdecedores não estão querendo acordá-lo do seu torpor, o qual o hábito instaurou na sua vida e que você cultiva à custa da sua felicidade? Quanto ao mau cheiro, será que ele não está lhe avisando abertamente que você não se "sente" bem na sua vida ou simplesmente não "sente" aquele novo cliente que acabou de entrar? Tudo tem um sentido.

A prática do Ho'oponopono não somente suscita a aceitação dos acontecimentos, como também provoca a aceitação do seu maravilhoso poder criador, que lhe permitiu elaborar um ambiente propício à sua evolução. Dessa maneira, é mais fácil agradecer a si mesmo por ter interferido no intuito de abrir novas perspectivas para si próprio. A limpeza dos sentimentos de culpa e raiva que o invadiram naquele lugar lhe dá a oportunidade de acessar um novo olhar sobre a sua vida e abrir espaço para as melhores soluções. Pode ser, por exemplo, organizar um local de forma diferente, talvez em uma outra cidade – em todo caso, será para continuar lá a sua evolução.

Atração e Ho'oponopono

Do *feng shui* ao poder da atração, é só um passo místico! Esse modo de funcionamento consiste em uma espécie de lei universal inevitável. Para resumir o princípio da lei da atração, basta constatar que comportamentos agressivos atraem violência e gestos de amor atraem compaixão: é uma experiência que cada um de nós já viveu, colhendo o que havia plantado.

Quando você entende que o ambiente ao seu redor é uma emanação da sua pessoa e que a energia *qi* que circula em todo o Universo pode revestir aspectos tanto negativos quanto positivos, em função do que ela encontra no caminho, fica fácil imaginar o impacto que um pode exercer no outro.

A qualidade da energia que reina na sua casa depende da orientação dela e do ambiente exterior, seja ele natural ou artificial (montanhas, rios, prédios, estradas). Quando uma casa recebe energias nefastas, é necessário contrapor este fluxo mexendo na organização do espaço interior. Tornar o seu domicílio tão aconchegante quanto um ninho protetor para toda a sua família é um dos remédios. Assim, você transforma a energia negativa em uma onda benéfica para todos os que dividem a casa. Outro aspecto – que não é o menos importante – é que, uma vez essa energia alterada positivamente, ocorre uma transformação que leva o lugar a mudar de nível vibratório. Quando isso se produz, as energias nefastas que rodeiam a casa são chamadas para outras bandas, deixando o caminho livre para ondas benéficas.

Falando concretamente, quando os habitantes de um lugar decidem repensar a organização deste último em função dos princípios do *feng shui* porque desejam a realização de seus projetos, quando otimizam o lugar em questão para concretizarem seus sonhos, os objetivos são rapidamente alcançados.

Observações me permitiram compreender que uma mudança se operava na maneira de pensar dos habitantes. A principal causa dessa metamorfose se devia à circulação correta da energia na casa. Isso pode corresponder à circulação dos habitantes, que é facilitada no lugar, pois nenhum obstáculo vem atrapalhar, por exemplo, o acesso à mesa de trabalho. A casa "desliza", nenhuma desordem permite que a energia fique estagnada e perca qualidade, os armários e o porão são ocupados pelo que é necessário, visto que os objetos inúteis já desapareceram em antiquários e lixões, dando espaço para futuros ganhos materiais. Os quadros e bibelôs que compõem a decoração são evocações positivas e valorizadoras para todos os que vivem no local. Assim, eles veem seu otimismo crescer, a confiança se instaurar e as oportunidades se produzirem. Eles atraem sorte para si, e o sucesso de suas iniciativas é garantido. O fenômeno da atração se instaura.

Às vezes, também, as mudanças são tão sutis que as pessoas não conseguem percebê-las, pondo-se então a perderem a paciência e depois duvidarem da sensatez do projeto. Ideias sombrias se formam, e a atenção é desviada para ocupações consideradas como mais adequadas ao estado emocional delas no momento. Algumas mergulham em *videogames* para passar o tempo, outras começam uma reforma geral da garagem para se sentirem úteis, outras ainda decidem limpar a casa do chão até o teto todo santo dia para evitar se culpar. Desse modo, elas deixam jogados aqui e acolá documentos necessários à continuidade do projeto que estão realizando, questões estas que serão resolvidas mais tarde, ou seja, no dia em que se tornarem urgentes.

A dúvida dá lugar então à desvalorização, os projetos vão parar debaixo da pilha de roupa para passar e dos livros a serem arrumados. *"Nem pensar em falar de novo sobre o assunto, aquela ideia era estapafúrdia, e eu sou completamente idiota de ter acreditado nela."* A lei da atração sempre age, mas a noção de "bem" e "mal" lhe fogem totalmente: ela atrai para a sua casa o que você envia, e, no exemplo citado, não é a melhor das coisas, como você deve ter percebido.

Com as energias em geral ou a *qi*, é o mesmo caso. Lugares estagnantes captam energias estagnantes, paredes que viram dramas acontecerem atraem energias ditas perversas. Torna-se necessário quebrar o círculo vicioso que se instaurou, e é alterando o nível energético do local que se torna possível atrair uma *qi* benéfica. O mesmo vale quando você quebra hábitos emocionais negativos. Assim que você se desfaz do papel desvalorizador de vítima, você entra em uma dinâmica na qual tudo se torna possível. Abra espaço para a abundância e a prosperidade na sua casa e na sua vida!

Como está explicado no princípio da lei da atração, o aspecto emocional é muito importante. Os sentimentos negativos que o oprimem atraem outras emoções negativas, provocando situações cada vez mais desagradáveis. De nada adianta saber que não cabe às suas emoções guiar o seu caminho: você volta e meia cai na armadilha. Felizmente, o Ho'oponopono está aí para tirar você dessa cilada, devolvendo-lhe as rédeas da sua vida.

Quando você pensa que o mundo é injusto, que o seu marido ou a sua mulher está errado(a) e que o seu chefe é completamente irracional, não é mais você quem está governando a sua vida, mas sim os seus medos, receios e dúvidas. As crenças erradas que eles trazem à tona podem ser apagadas, e, com o Ho'oponopono, toda situação difícil é pretexto para uma limpeza: *"Perdão, sinto muito por ter criado esta dúvida, eu não sabia que tinha isto dentro de mim... obrigado, obrigado por ter feito isto vir à tona, para que eu pudesse limpar... eu te amo, você, que me fez duvidar... eu me amo, eu, por ter apontado esta crença, a fim de limpá-la definitivamente".*

Quando as emoções levam a melhor no seu cotidiano e você fica enroscado na teia delas, uma boa limpeza na casa e na mente se impõe.

A fórmula *"Obrigado, eu te amo"* basta amplamente para a dissolução completa da memória errada. Em caso de dúvida sobre a limpeza, basta repeti-la até a emoção negativa dar lugar ao bom-senso, que enxerga para além de qualquer medo, que lança um olhar de amor.

Todas as emoções que geram mais dificuldades do que soluções podem ser varridas com uma só frase. Você reconquistará a melhor das energias, atraindo, ao mesmo tempo, a melhor das soluções. É uma ferramenta inevitável para tornar eficaz e positiva a lei universal da atração. Só posso aconselhar o uso dela, pois ela torna acessível a qualquer um o enorme potencial que reside neste mundo. É um complemento indispensável para a realização dos seus projetos e sonhos, uma chave que lhe abre o Universo dos possíveis. E, como eu já disse mais acima, o Universo é realmente grande, então imagine só o tamanho dos possíveis!

Manual de instruções da atração

Para tirar o máximo proveito da lei da atração, é necessário entender que ela não faz distinção entre o "bem" e o "mal". Ela age o tempo todo, pouco importando a pessoa, o lugar ou o tipo de pensamento. O melhor jeito de atrair acontecimentos positivos graças a esse fenômeno quântico é emitir pensamentos positivos permanentemente, o que, a princípio, ainda não é imaginável para a maioria das pessoas que vivem neste planeta.

A ferramenta Ho'oponopono cai como uma luva para a redescoberta do nosso potencial criador. Ela permite limpar os pensamentos negativos, que não passam de memórias erradas. Isso age como um banho de amor, no qual basta dizer *"perdão, obrigado, eu te amo"* **para abrir o chuveiro. Uma vez limpas, as memórias são dissolvidas para sempre. Dá-se espaço à abertura positiva.**

O fenômeno da atração se instaura rapidamente graças às conexões que se fazem entre as ideias positivas. Quanto mais houver limpeza, mais a visualização ficará clara.

Você é capaz de conceber mais facilmente uma imagem de êxito e sucesso praticando o Ho'oponopono. *A cada dúvida, limpe. A cada medo, limpe. A cada impaciência, limpe. A cada emoção negativa, limpe.*

E, ao confiar no fenômeno da atração, você não alimenta expectativas no que diz respeito à maneira como ele se manifestará.

Certas pessoas dizem que é preciso ter fé. Outras, que é preciso ter confiança na vida. Aqui, direi a você que a prática do Ho'oponopono consiste, antes de tudo, em ficar sem expectativas quanto ao resultado. A última coisa com a qual você precisa se preocupar, quando os problemas o deixam atolado, são realmente os detalhes do resultado.

Você sabe de que precisa. Precisa ter abundância, e não resolver os seus problemas de dinheiro. Precisa se curar, e não encontrar o remédio milagroso para a sua doença. Precisa dividir a sua vida com a alma gêmea, e não viver com uma criatura da moda. Precisa de um trabalho adequado às suas competências, e não "daquele emprego" que você viu nos classificados.

Emita um pedido positivo, visualize o filme do seu sonho sendo realizado e bem-sucedido, limpando, ao mesmo tempo, os seus temores ao longo dos dias que transcorrerem desde o seu pedido. E, acima de tudo, deixe a vida levar você. Tudo acontece na hora certa, da melhor maneira possível para você.

O Ho'oponopono reverbera em cada um

Para concluir a minha apresentação sobre a lei da atração, vou levá-lo mais longe no mundo da sutileza, até onde muitos de vocês já adivinharam que há respostas para várias de suas perguntas.

Por eu e você sermos feitos de carne e osso, é fácil renegar a parte que pensa e reflete em cada um de nós. As minhas ideias não estão contidas em um órgão, elas parecem vir, em vez disso, de algum lugar lá em cima, fora da minha cabeça. Não preciso fazer nenhuma ressonância magnética para entender que o meu cérebro é um receptor. Ele armazena dados, que, sob a forma eletroquímica, espalham-se em seguida pelo meu organismo.

Com base nesta constatação, eu também considerei a possibilidade de que, assim como no *feng shui*, as informações pudessem ter maior ou menor qualidade, conforme o estado das pessoas que as tivessem enviado. Veja bem, eu mencionei o "estado" emocional, e não a pessoa propriamente dita. Todos nós somos semelhantes em termos de constituição, mas os problemas de saúde e as experiências vêm fazer a diferença no âmbito físico, o que não torna você nem melhor nem pior do que os outros.

As emoções têm a capacidade de provocar alegria ou trazer à tona crenças ditas erradas e colocar você em estados de angústia. É aí que os seus pensamentos podem se tornar um problema para os outros. Você dispõe de um radar que lhe permite detectar as "ideias do momento" e entrar em sintonia com aquele ou aquela que está na sua frente. A atitude corporal também é um meio de se comunicar, porém, de forma mais sutil, percebemos a energia que emana da pessoa. A secreção de feromônios parece dar aos cientistas uma resposta satisfatória sobre esse fenômeno. Só que essa secreção hormonal é ativada porque o organismo deu essa ordem – eu me pergunto, portanto, quem deu essa ordem. Quanto mais voltamos à origem do processo, mais nos damos conta de que há realmente um pensamento que acionou todo o mecanismo.

Todos nós já passamos pela experiência de sentir algo esquisito só de falar com um desconhecido, pois o sexto sentido pode nos indicar a maior prudência perante uma pessoa ou, ao contrário, fazer uma amizade nascer em um segundo.

A energia que emana dos seus pensamentos é de fato sentida por todos, tal como um fenômeno amplificado. Quando você está às voltas com uma emoção forte, como a raiva, ela o leva a encontrar unicamente pessoas agressivas.

Como exemplo, vou citar o comportamento ao volante, pois o carro é o lugar mais extraordinariamente exposto a emoções de todo tipo. Você já não reparou que, quanto mais o veículo da frente o irrita, mais você fica sujeito às buzinadas do de trás? Quanto mais você fica com medo de fazer uma ultrapassagem, mais vêm carros na pista em sentido contrário? Quanto mais você xinga o motorista que acabou de frear bruscamente na sua frente, mais você recebe insultos do motociclista que está tentando ultrapassar o seu carro?

Ao contrário, quando você canta, com o coração alegre, a sua música preferida que está passando no rádio, mais a estrada lhe parece leve, mais os motoristas se tornam cordiais e mais os sinais ficam verdes quando você se aproxima deles. Sorte? Talvez. "Reverberação": é assim que você pode considerar esse fenômeno.

Vou dizer mais uma vez: nada como uma boa limpeza das emoções negativas para deixar você em sintonia com a verdadeira vida. Você encontrará cada vez mais pessoas atenciosas que reverberam na sua frequência, colocando-o no modo Ho'oponopono. É assim que a lei da atração funciona: você atrai o que você emana, então vibre com tudo o que há de melhor em si mesmo!

O seu estado emocional é o seu estado vibratório. As suas vibrações dão origem aos famosos espelhos, os outros. E a reação deles não é nada mais além de um eco do seu estado interior.

Como mudar o mundo

Após a leitura deste livro, você pode ter uma ideia da resposta. Vou lhe dar uma dica: começa com "mudando" e termina com "a si mesmo". Eis a solução do enigma: *mude o mundo, mudando a si mesmo!*

Eu também poderia lhe dizer que é mudando o seu olhar sobre o mundo que você o mudará, só que isso não basta. A visão que você tem da vida, da sociedade, das pessoas, da Bolsa e da moda lhe é própria e única. É uma coisa que depende da sua educação e personalidade. As práticas espirituais lhe permitem alcançar compaixão e tolerância, o que é uma maneira extraordinária de mudar o seu olhar com relação aos outros. Porém, sempre resta alguma coisinha perturbadora: pode até ser que esse cisco no olho seja o juízo de valor.

Mude o mundo, mudando a si mesmo!

Isso mesmo! Eu julgo você, você me julga, você se julga o tempo todo. E não necessariamente de forma consciente: são pensamentos fugazes que aparecem e desaparecem tão rápido quanto nasceram.

Trechos escolhidos de pensamentos que julgam

- *"Prefiro o vestido vermelho, porque ele caiu melhor nela."*
- *"Ai, aquele cabelo! O cabeleireiro fez um corte horrível na moça!"*
- *"Por que será que o carro da frente não anda, hein?"*
- *"Feijão de novo? A gente já comeu ontem!"*
- *"Não suporto esse cara. O que ele ainda está fazendo na TV?"*

Essas pequenas alfinetadas que saem da sua mente são tão suaves quanto as carícias de uma bucha no couro do seu sofá novo. Elas deixam marcas que estragam o sofá e fazem quem se senta nele lembrar aquele doloroso momento. O sofá representa as suas relações com os outros, as marcas são os vestígios do seu juízo de valor com relação a eles. É impossível voltar atrás, não bastam desculpas, surge como que um bloqueio. Você entende que isso ofendeu a pessoa e fica sinceramente chateado, pois, aliás, o comentário lhe escapuliu.

Como sair desse círculo infernal no qual os seus pensamentos mais mordazes e indelicados se instauraram? Você bem pode pedir para as pessoas ao seu redor se colocarem no seu modo de reflexão, informando-as sobre as suas exigências. E, mesmo com a maior boa vontade do mundo, seriam necessários anos e anos de trabalho para compreender todas as sutis conexões que se tecem dentro de você, em face dos trilhões de acontecimentos que a vida pode oferecer. Nem o computador mais potente pode compilar todas as possibilidades de reação que você pode ter durante uma vida. Porém, vamos supor que um computador tivesse realizado tal proeza. Seria preciso, em seguida, que essa compreensão fosse assimilada pelos cerca de sete bilhões de indivíduos com os quais você pode esbarrar na sua vida. Indo mais longe, seria preciso depois registrar as sete bilhões de composições junto a cada habitante da Terra. Estou convencida de que eu e você dispomos, em nós mesmos, de todas as informações que circulam no Universo. Só que, hoje, o estado de evolução da humanidade ainda está longe de explorar totalmente esse poder. Portanto, no momento, esse tipo de aprendizagem é impossível de realizar.

Por isso, proponho a você um método mais simples, que exige um pouco de tempo, mas que a vida torna mais leve à medida que você vai abrindo a sua mente. Essa técnica consiste em ser a mudança que você quer ver neste mundo: tais são as palavras que Gandhi deixou para a humanidade.

Se você desejar ver amor neste mundo, seja amor. Se desejar ver paz neste mundo, esteja em paz. Se desejar ver alegria neste mundo, fique com alegria. Pode parecer básico como princípio e, de fato, é básico! Mas também eficiente.

Voltando ao assunto do juízo de valor, existe, obviamente, uma solução para se afastar desse fenômeno que o atrapalha bastante e o impede de viver com amor, paz e alegria. É *a aceitação.*

Aceitar o inaceitável é a chave que permite deixar o juízo de valor sair definitivamente da sua vida. Aqui, mais uma vez, aceitar é diferente de permanecer submisso aos acontecimentos, pois submissão é inação. E, como a vida é movimento, você só tem a ganhar agindo para ficar em harmonia com ela. A aceitação consiste em entrar na paz, e não na raiva ou na tristeza. É uma maneira de preservar a sua energia, em vez de deixá-la desaparecer nos tormentos da depressão ou do ódio. Graças à aceitação, você pode manter a "cabeça fria" e obter resultados prodigiosos com os outros.

O juízo de valor foi a pedra que esteve no meu sapato durante muito tempo. Esse espertinho volta assim que eu me ponho a perambular pelo terreno baldio da minha mente.

Há certo tempo, conscientizei-me de que a ausência de juízo de valor podia ser uma garantia de paz, ao passo que o contrário era capaz de provocar em mim uma longa insônia.

Durante uma conversa em família sobre a necessidade de manter um exército para defender sua família e seu país das nações inimigas, percebi a que ponto a mente podia deixar a razão para trás. Meu interlocutor afirmava que um sequestro de reféns justificava um ataque fatal do exército contra os agressores. Era, segundo ele, uma ação necessária para a tranquilidade do nosso país. *"O nosso exército tem de nos defender, os soldados correm o risco de morrer por nós."* Ele gostaria de ser um daqueles heróis. Porém, os sequestradores também estavam sofrendo, por sua vez, uma agressão em seu próprio país, e era para proteger sua família e sua pátria que estavam agindo daquele jeito. Eu não conseguia encontrar palavras para acalmar a discussão, preocupada demais com a ideia de que tirar a vida, para mim, era totalmente... inaceitável.

Era uma questão de valores que estava atravancando o diálogo. Na verdade, era principalmente uma questão de juízo de valor. Quem é bom, quem é mau? Quem está errado e quem está certo? Eu ainda não tenho nenhuma resposta a essas perguntas. Mas sei, do fundo do coração, que cada vida tem a sua razão de ser, é preciosa e única. Merece respeito, seja qual for a forma que ela revestir. Eu me havia esquecido, naquela noite, de entrar no amor. O conflito que irrompeu em mim perturbou a minha noite, e, na manhã seguinte, entendi que era aceitando as opiniões, por mais violentas que elas fossem, que eu conseguiria aceitar a parte de mim que havia criado aquele encontro, aquele espelho. Eu tenho dentro de mim, em algum lugar, bem escondido, um medo do outro que poderia talvez me levar a matar. É tão difícil de escrever quanto de amar, posso lhe garantir.

Nesse caso, aceitação e ausência de juízo de valor são os únicos lemas a combinar. Senão, o ego prevalece e o deixa chateado para sempre com quem trouxe a mensagem. Ao depreciar o outro, você age de modo a se "proteger", impedindo-se de ver e aceitar a parte sombria que existe em si mesmo. A ligeira sensação de segurança que a rejeição do outro lhe proporciona é, na realidade, ilusória, pois um mal-estar sempre subsiste ao se lembrar da pessoa em questão. Uma crença errada acaba de nascer: *"Eu tenho um raciocínio melhor do que o dele".*

Para facilitar a transição para a aceitação, a fórmula *"Perdão, obrigado, eu te amo"* nunca me serviu tão bem como naquela noite. Confiar na vida também consiste em confiar nas escolhas dos outros, aceitar que elas não são nem melhores, nem piores do que as minhas, elas pertencem aos outros, e é assim que eu gosto daquelas pessoas.

O segundo efeito é a aceitação de si, da sua responsabilidade nos acontecimentos, mesmo nos menos gloriosos. A ausência de juízo de valor permite chegar lá.

Na verdade, o melhor momento foi quando eu enviei amor a mim mesma, um amor incondicional que irradiava até a pessoa que me havia permitido alcançar essa bênção.

Dizer obrigado

Quando a vizinha lhe oferece flores do jardim dela, quando o seu filho lhe dá um beijo terno no esplendor dos 18 anos, quando os comerciantes lhe dão de presente alguns centavos de troco, quando o seu carro dá a partida de primeira em pleno frio do inverno, quando o seu chefe deixa você ir embora depois do almoço, quando as dores se atenuam durante o seu cochilo, talvez seja um sinal para você entrar em um novo movimento. Você está no caminho da serenidade. Andando primeiro a passos miúdos e depois a passos mais longos e ligeiros, você penetra na grande maratona da vida. Durante quilômetros e quilômetros, você descobrirá as suas capacidades: aquelas nas quais você não acreditava mais se revelarão, manifestando o surpreendente poder de resistência e superação delas. É um momento divino no qual você descobre que os limites não existem.

Confesso que sempre fico boba de ver a reserva de capacidades que reside em cada um de nós. Essa abundância está por toda parte. Tanto neste corpo que pensamos conhecer e que sempre nos surpreende com suas curas inesperadas quanto na caixinha do correio na qual aparece o cheque de reembolso que lhe evitará entrar no vermelho este mês. É possível ir ainda mais longe vibrando com todo o amor e toda a gratidão pelas pequenas coisas inesperadas da vida. Quanto mais você agradecer por ter e estar assim satisfeito, mais a abundância o alimentará. Quanto mais você amar a vida, mais ela lhe retribuirá este amor. Às vezes, eu penso que é quase demais. É tão lindo que acabo ficando encabulada e não sabendo onde enfiar a cara diante de tantos presentes!

Acolher esta felicidade de braços abertos foi, para mim, uma outra maneira de utilizar o Ho'oponopono. Aprendi a dizer "Obrigada". Obrigada a todas as oportunidades que se abrem para mim, obrigada ao que compõe a minha vida hoje e a tudo o que a construiu durante todos estes anos. Sinto esta gratidão como uma expressão do meu Eu Profundo, cujo enorme potencial eu descobri.

Estou relembrando todos aqueles anos em que eu ouvia os mestres espirituais de todas as religiões falarem sobre a realização pessoal alcançada agradecendo ao Divino. Naquela época, eu não conseguia definir a verdadeira necessidade disso. Para mim, era incompreensível dizer *"Obrigada"* a uma coisa que eu não via, que eu mal sentia e que me fazia passar por tantas provações.

A experiência um pouco singular que eu vivo com a prática do Ho'oponopono me permitiu abrir a mente para outros métodos de desenvolvimento pessoal, aceitar a minha verdadeira natureza, revelar à luz do dia os meus talentos, descobrir personalidades maravilhosas, empreender e concluir muitos projetos!

"Obrigada!"

Quando me dou conta de tudo isso, não tenho outra escolha a não ser agradecer de todo o coração a Deus, ao Universo ou à intenção de ter permitido que eu realizasse tantos sonhos. E a coisa está longe de ter terminado! Tenho a impressão de estar apenas começando a balbuciar a minha realização, tamanho é o poder dessa energia criadora. Obrigada, obrigada a ela por estar aí. Obrigada àqueles que cruzaram o meu caminho e permitiram que eu me conscientizasse da existência dela. Obrigada a todos os espelhos que os outros são e que constituem uma emanação do meu ser inconsciente. Obrigada ao meu ego por exibir as memórias erradas que eu apago com amor. Obrigada a você, leitor, por existir e permitir que este livro viva.

Como viver os momentos de dúvida

Há, dentre vocês, pessoas que praticam o Ho'oponopono há algumas semanas ou alguns meses e que, apesar disso, continuam recebendo da vida descargas elétricas fortes. Esses choques surgem sem avisar. Enquanto você percorre com segurança o caminho do amor, de repente lá está você, sendo jogado sobre uma montanha de dúvida e culpa.

Você limpou minuciosamente o terreno baldio que a sua mente era, transformando-a em jardim. Arrancou as ervas daninhas que as emoções negativas eram, fazendo daquele lugar um parque magnífico, no qual as árvores da serenidade crescem, os canteiros de flores da bondade são cuidadosamente cultivados e o gramado da tranquilidade é impecável. Então, quando alguém atira uma casca de fruta no seu jardim, você passa a ver apenas esse infame detrito que mancha o seu paraíso. Toda a sua atenção se focaliza nessa visão.

Após essa metáfora bucólica, veja a seguir algumas dicas para ajudar você a compreender melhor esse fenômeno, que lhe envia culpa e outras emoções desagradáveis, enquanto você limpa meticulosamente as memórias erradas.

Talvez seja porque, nas últimas semanas, você tem estado em uma vibração tão mais leve que, quando cede aos antigos hábitos e volta à tonalidade de antigamente, a diferença é tão intensa que você não consegue mais viver nesta "antiga" vibração. Ela já não lhe corresponde. Você se afasta cada vez mais desse sistema de pensamento. Quando ele reaparece, a intrusão é tão desarmoniosa que ele se torna insuportável.

Pode ser que, quando os velhos conflitos chegam com as botas sujas no cenário cristalino que você construiu para si mesmo, é difícil, para você, não os reconhecer. Eles mancham a sua vida. É impossível, para o seu ego, camuflá-los por trás das cortinas de rancor que você tomou o cuidado de limpar desde que começou a praticar o Ho'oponopono. Eles ficam imediatamente visíveis, sem máscaras, nem floreios, e vêm sacudir a calma que reinava em você.

Imagine que você tenha passado toda a sua vida em uma cidade atingida sem parar por bombas e atentados e que a paz tivesse se instaurado após uma grande limpeza. Você acaba de encontrar a chave para tornar a sua vida cada vez mais harmoniosa graças ao Ho'oponopono, você está finalmente vivendo na cidade da paz. Porém, ainda restam alguns renegados escondidos em passagens subterrâneas. Eles eram invisíveis durante as guerras do passado, mas lá estão eles, a céu aberto, quando atiram uma granada na sua rua.

Pode ser também que você já tenha esquecido a que ponto a sua vida era caótica antes desta grande limpeza?

A surpresa e o medo que se seguem são justificados. No entanto, para o seu bem, você precisa continuar a limpeza, de modo que o amor invada os subsolos da sua vida. Senão, o caos emocional poderia invadi-lo novamente.

É assim que você pode considerar a prática do Ho'oponopono. A limpeza se dá, primeiro, na superfície, e a sensação de calma fica cada vez mais perceptível à medida que você vai fazendo limpezas. O grande "bum" que ocorre enquanto você sorri do fundo do coração para a vida apresenta, na verdade, a mesma intensidade que as memórias erradas anteriores que você havia limpado. Contudo, na paisagem tão tranquila que a sua vida se tornou, aquele "bum" parece tão enorme quanto a explosão de uma bomba atômica. Até agora, você não o havia percebido, pois ele era lançado em meio às balas perdidas que afligiam a sua cidade.

Quando olho as pessoas ao meu redor que vivem sempre nesse caos emocional, eu me lanço o desafio de limpar a imagem que elas me enviam até atingir uma paz interior ao mesmo tempo em que as observo viver. Entro em comunhão com essa desordem que eu, por minha vez, também vivi durante anos. Eu me reconcilio com ela através daquelas pessoas e envio a estas últimas todo o amor que elas merecem, por me permitirem amar quem eu fui ontem e quem elas são hoje. A ausência de juízo de valor, a aceitação e a postura sem expectativas se tornaram indispensáveis para alcançar esta paz. O Ho'oponopono também é isto: a reconexão, com amor, de tudo o que alimentou você e lhe permitiu se tornar quem você é hoje.

O Ho'oponopono no cotidiano

O que me agrada na prática do Ho'oponopono é que ela se integra em todos os estilos de vida. Seja você religioso ou ateu ou esteja você em busca de uma identidade pessoal, esta ferramenta é muito útil quando se deseja evoluir.

O ser humano precisa compreender de onde vem, quem é e por que está aqui. Há, em cada um de nós, uma pergunta que necessita de uma resposta. A busca de sentido é um motor potente que dá asas à vida. Sua intensidade varia unicamente em função da força de vontade individual. Cabe a cada um decidir o espaço que ele quer lhe atribuir, sabendo, é claro, que esse motor está cheio de energia positiva e ilimitada.

Por que ele é tão potente? Pois bem, simplesmente porque o Eu Profundo está ali, roncando de alegria só de pensar em fazer você descobrir a magia da vida, ou seja, aquele motor está ligado ao tanque ilimitado do Universo, com uma abundância de combustível: o amor.

E que amor é este? É o grande fluxo que atravessa o Universo e que certas pessoas sentem como sendo o poder de Deus. Outras o chamam de poder da intenção ou ainda de *qi*. O que eu posso lhe dizer é que ele está em todo lugar e que é ele que liga você ao Universo. Por isso, como cada um de nós neste planeta está conectado ao Universo, isso significa que eu e você estamos interligados. Essa união não é metafórica: ela está aí, impalpável e, no entanto, tão presente! Você sabe que as ondas dos satélites são enviadas por toda a superfície da Terra para que nós possamos nos conectar uns aos outros. Então, considere que você é uma antena de transmissão. Você dispõe de uma potência inesgotável que lhe é enviada por todos os satélites do Universo. E é capaz de transmiti-la.

Como transmitir amor? É muito simples, na verdade: basta se conectar ao *chip* que serve de conexão com o Universo. O *chip* é o seu Eu Profundo, a sua Divindade Interior, e a senha é: "*Sinto muito, perdão, obrigado, eu te amo*". Em seguida, deixe-se levar pelo Universo, por Deus, pela intenção. Só isso.

Uma coisa que é bastante inacreditável com o Ho'oponopono é que esta prática não substitui nenhum processo de evolução, mas faz algo muito melhor: ela acompanha todas as técnicas que vão nessa direção.

Por exemplo, quando você utilizar ferramentas como meditação, ioga ou *qi gong*, cuja função é trazer a calma para dentro de si, e sentir a sua mente navegar à deriva, o Ho'oponopono permite retornar à concentração interior que lhe traz paz. *"Sinto muito, perdão, obrigado, eu te amo."* Isso ajuda você a se "reconstituir" quando o seu ego encontra desculpas demais para não mergulhar na meditação.

Um outro ponto interessante é que você não precisa de ninguém para praticar o Ho'oponopono. Nenhum guru, terapeuta ou padre pode praticá-lo no seu lugar. É a autonomia do pensamento que se destaca com este método. Toda vez que um conflito surgir na sua frente, é você que decidirá limpar ou não o acontecimento. Ninguém interfere, nem decide por você. Você é o único agente ativo.

Na verdade, este foi um aspecto que imediatamente me chamou a atenção nesta prática. Fui seduzida pela ideia de não ter de pedir nada a ninguém para me livrar da culpa, do ciúme, do medo, da ganância... pela ideia de só ter de ficar em harmonia comigo mesma.

A outra noção que me deu vontade de dizer *"Sinto muito, perdão, obrigada, eu te amo"* para a vida foi a da minha responsabilidade nos acontecimentos, ou melhor, da minha participação criativa na elaboração deles. Eu não precisava mais ficar chateada com ninguém, mas simplesmente olhar os fatos tal como eles eram: mensagens pessoais para evoluir. É um ganho de energia formidável! Imagine o quanto você gasta guardando rancor, ficando com raiva e alimentando tristeza. Chega de cansaço inútil, chega de aborrecimentos que duram dias e meses, que ganho de tempo!

Ao longo dos meses e anos de prática do Ho'oponopono, vou fazendo novas descobertas. A limpeza das memórias erradas, o vazio que se cria em proveito da inspiração, tudo isto dá lugar a sincronicidades: coisas que chegam para você no momento oportuno, porque o seu inconsciente permitiu a existência delas ao seu redor. Você sabe que não há mais espaço para o acaso quando atinge esse nível de compreensão. Tudo se torna mensagem.

Do livro que você acaba de escolher à conversa com um desconhecido entre as prateleiras do supermercado, passando pelo e-mail que lhe dá uma ideia para escrever o seu próximo artigo, é um movimento em perpétua atividade. Ele está aí, na sua frente, fazendo sinal para dizer que a abundância está, de fato, ao alcance das suas mãos.

Essa abundância é transportada pelo fluxo do Universo ou poder de Deus ou energia divina, cujo verdadeiro nome você já adivinhou, não é? Isso mesmo, você acertou: a abundância viaja nas asas do amor!

O Ho'oponopono e você

Nathalie Lamboy

Cara leitora, caro leitor, você certamente já entendeu que a prática do Ho'oponopono é uma arte de viver que convém experimentar para compreender seu verdadeiro teor. Por isso, eu gostaria de convidar você a iniciar esta prática no momento que lhe parecer mais propício.

As frases *"Sinto muito"; "Perdão"; "Obrigado"; "Eu te amo"* é uma base que você pode enfeitar de acordo com o seu humor. Não há nenhuma regra. Para certas pessoas, *"Obrigado, eu te amo"* bastam amplamente. Já outras, como eu, improvisam para dar mais impacto à limpeza. O mais importante é se unir à sua potência interior. É um poder de criação que vive permanentemente dentro de você, basta chamá-lo para se conectar a ele.

A conexão com o amor é um retorno à nossa verdadeira natureza. E, para alcançá-la, há três etapas que podem ajudar a realizar esta proeza. A primeira consiste em concluir a sua missão pessoal graças à limpeza das memórias erradas, como explicou Jean Graciet. A segunda constitui a aceitação da sua parte sombria, isto é, da dualidade que caracteriza os seres humanos e que Luc Bodin discutiu neste livro. E, por fim, a terceira é ter gratidão perante este Universo tão perfeito, o que é, para mim, Nathalie Lamboy, uma descoberta maravilhosa com o Ho'oponopono.

Agora que você tem em mãos algumas chaves para ficar em paz consigo mesmo e dar destaque a todo o seu potencial, vou deixá-lo descobrir as suas próprias respostas às perguntas que você talvez faça a si mesmo após a leitura desta obra.

E, tendo chegado à última página, não a enxergue como uma conclusão. Em vez disso, considere este livro como um prefácio da sua vida. Uma espécie de introdução aos capítulos que você redigirá por conta própria na sequência.

Espero simplesmente que *O grande livro do Ho'oponopono* lhe tenha dado gosto pela aventura e que ele guie você na sua exploração da vida.

Boa descoberta a todos vocês!

"Obrigada, eu te amo."

Referências*

BRECHER, P. *Segredos da energia*. Evergreen, 2007.

BYRNE, R. *O segredo*. Alfragide: Lua de Papel, 2007.

CLERC, O. *Le don du pardon*. Paris: Trédaniel, 2010.

DAB, D. *Du big bang a la guerison*. Aubagne: Quintessence, 2003.

DERICQUEBOURG, R. *Religions de guérison*. Paris: Du Cerf, 1988.

DOSSEY, L. *O poder da oração que cura*. Rio de Janeiro: Agir, 2015.

DYER, W.W. *A força da intenção*. Rio de Janeiro: Nova Era, 2006.

FARRINGTON, K. *História ilustrada da religião*. Barueri: Manole, 1999.

FERRINI, P. *Amor incondicional*. 3. ed. São Paulo: Pensamento/Cultrix, 2014.

FORD, D. *O lado sombrio dos buscadores da luz*. São Paulo: Pensamento/Cultrix, 2001.

GASSETTE, G. & BARBARIN, G. *Enseignement recueilli* – La clé. Astra, 1950.

GENEVÈS, J.-F. *Le référentiel de l'homme nouveau*. Autoedição, 2000.

HAWKING, S. *O Universo numa Casca de Noz*. Editora ARX, 2001.

JAMPOLSKY, G. *O amor é a resposta*. Rio de Janeiro: Objetiva, 1992.

JUNG, C.G. *A prática da psicoterapia*. 15. ed. Petrópolis: Vozes, 2011.

______. *Ab-reação, análise dos sonhos, transferência*. 9. ed. Petrópolis: Vozes, 2011.

KERVIEL, J.-N. *L'être humain et les énergies vibratoires*. Paris: Arka, 1997.

KRIBBE, P. *Messages de Jeshua*. Villefloure: Hélios, 2010.

* As obras citadas em notas de rodapé não estão repetidas nestas referências.

LAKHOVSKY, G. *L'origine de la vie*. Paris: Nilsson, 1925.

LAO-TSÉ. *Tao Te Ching*. Rio de Janeiro: Mauad, 2011.

LASSUS, R. *La communication efficace par la PNL*. Verviers: Marabout, 2007.

LEBRUN, M. *Médicos do céu, médicos da terra*. Nova Época, 1986.

LONDECHAMP, G. *L'homme vibratoire*. Turim: Amrita, 1998.

MORGAN, M. *Mensagem do outro lado do mundo*. Rio de Janeiro: Rocco, 1995.

MORSE, M. *La divine connexion*. Paris: Le Jardin des Livres, 2002.

MURPHY, J. *O poder da oração*. Rio de Janeiro: Record, 1958.

ORTOLI, S. & PHARABOD, J.-P. *Le cantique des quantiques*. Paris: La Découverte/Poche, 2007.

PAUWELS, L. & BERGIER, J. *O despertar dos mágicos*. Rio de Janeiro: Difel, 1979.

POLETTI, R. & DOBBS, B. *A autoestima*. Petrópolis: Vozes, 2007.

PORTELANCE, C. *La guérison intérieure par l'acceptation et le lâcher-prise*. Genebra: Jouvence, 2009.

REDFIELD, J. *A profecia celestina*. Rio de Janeiro: Objetiva, 1993.

SCHALLER, C.T. *L'univers des chamanes, le don de guérir est en chacun de nous...* Testez, 2006.

SMITH, C.W. & BEST, S. *Electromagnetic Man*. Londres: Palgrave Macmillan, 1989.

TIPPING, C.C. *Radical Forgiveness*. Sounds True, 2009.

VITALE, J. & LEN, I.H. *Limite zero*. Rio de Janeiro: Rocco, 2009.

Índice

Os autores

Luc Bodin é diplomado em oncologia clínica. Também é consultor científico de várias revistas de saúde e autor de inúmeros *best-sellers*, notadamente sobre *Cuidados energéticos, Aura no cotidiano, Os 3 segredos do universo, Câncer, Os caminhos da cura, Proteção e limpeza energética de pessoas e lugares.*

Luc Bodin também organiza oficinas onde ensina tratamentos energéticos abertos a todos, na França e em outros países.

Seu site: www.luc-bodin.com

Jean Graciet é clínico em PNL e hipnose ericksoniana, e especialista na busca do significado dos sintomas e das doenças. Ele dá palestras e cursos de treinamento sobre os seguintes tópicos: relacionamento, conscientização e "perdão". Desde 2010, ele tem se dedicado principalmente, em companhia de sua esposa Maria-Elisa Graciet-Hurtado, à transmissão da med ccensagem do "Ho'oponopono" e do perdão que esta filosofia havaiana nos ensina, através de conferências, palestras, e *workshops*, CDs de áudio e um baralho de cartas.

Seus sites: www.eveiletsante.fr e www.mercijetaime.fr

Nathalie Lamboy se especializou no método Ho'oponopono e escreveu muitos livros sobre ele. *Coach* certificada, treinada em *feng shui* e em técnicas psicoenergéticas, ela desenvolveu seu próprio método de evolução pessoal HO'OME® que ela transmite em seminários.

Seu site: www.vivrehooponopono.com

Caderno de exercícios de simplicidade feliz

Alice Le Guiffant e Laurence Paré

Esse caderno de exercícios oferece dicas para descobrir e aplicar a simplicidade voluntária e feliz no seu cotidiano. Como essa filosofia de vida nos traz plenitude e felicidade, preferimos chamá-la de "simplicidade feliz", em vez de "simplicidade voluntária", que parece ser algo demasiado trabalhoso e chato. O livro explora diferentes maneiras de tentar substituir o TER, amplamente imposto por nossa sociedade, pelo SER, bem relegado ao pano de fundo de nossas vidas, a fim de alcançar um melhor equilíbrio entre ambos.

A simplicidade feliz é uma escolha de vida com o objetivo de se liberar de uma grande dependência de tudo o que é material e questionar os hábitos consumistas de nossa sociedade, no intuito de se aproximar de seus valores e necessidades reais.

Esse passo deve ser dado para si mesmo, para os outros, para o planeta, cada um andando em seu ritmo por caminhos que lhe sejam próprios e com suas prioridades pessoais. Portanto, está fora de questão renunciar a todos os prazeres da vida sob pretexto de estar absolutamente determinado a ir até o fim. Não se deve abandonar uma sociedade embrutecedora e coerciva por conceitos que aprisionam ainda mais.

***Alice Le Guiffant** é professora. Mãe de dois filhos, trabalha há vários anos com questões de ecologia ambiental, social, familiar e relacional. É coautora do blog "Chroniques de deux consommatrices repenties" e do livro* L'art du désencombrement *e* Caderno de exercícios para se desvencilhar de tudo o que é inútil *(Vozes)*.

***Laurence Paré** se interessa por ecologia, educação alternativa e simplicidade voluntária. Mãe de dois filhos, ela publicou artigos na revista* Grandir Autrement, *alimenta as "Chroniques de deux consommatrices repenties" e é coautora de* L'art du désencombrement *e* Caderno de exercícios para se desvencilhar de tudo o que é inútil *(Vozes)*.